捨てられる日本

世界3大投資家が見通す戦慄の未来

ジム・ロジャーズ［著］
花輪陽子／アレックス・南レッドヘッド［監修・翻訳］

SB新書
606

はじめに

この国は今、未曽有の危機に直面している。

かつて「エコノミック・アニマル」と称され、一気呵成に経済成長を遂げた戦後の栄光は、いまや見る影もない。

国が抱える、月まで届きそうなほど積み上がった負債。先進国のなかで最も深刻な少子高齢化。新たな産業が育たず、イノベーションが生まれる土壌がない。平成以来続いている「失われた30年」は終わる気配がない。

「一流国」から「二流国」へ転落したかのように思われるこの国に、逆境の嵐が吹き荒れた。円安だ。かつて安倍政権が推し進めた経済政策・アベノミクスの「第一の矢」である金融緩和が尾を引き、日本銀行（以下、日銀）は紙幣を際限なく刷り続けた。これが近年の円安を誘引した。

２０２２年12月、日銀はこれまで続けてきた金融緩和策を一部改めることを決定し、約０・25％に抑制してきた長期金利を、約０・５％に引きあげる方針とした。

この動きにより、投資家たちの間で、「日銀は金融緩和を一層縮小させるだろう」という見方が広がったためだろうか。２０２３年１月３日の外国為替市場では、日本円は一時１ドル＝１２９円台まで上昇する局面もあった。

とはいえ、気を抜くのは危険だ。円安傾向は当面続くと私は考える。

大半の海外投資家は、これまで日本円を安全資産であり、リスク回避のための避難通貨と見なしてきた。しかし昨今では、徐々に彼らはこの国を見捨て、「円売り」の動きが加速しつつある。

このように、日本政府や日銀の現状を見れば、どうしても暗い話が多くなる。しかし、こうしたなかでも個人として充実した人生を生きることはできる。日本の皆さんに、混迷の時代を切り抜けるための具体的プランを語るべく筆をとった。本書から学び、きたるべき未来に備えてほしい。

ジム・ロジャーズ

『捨てられる日本』目次

はじめに……3

第1章 世界から捨てられる日本
――この国で始まった恐怖のシナリオ

シナリオ① 日本円は捨てられる……14
・円を売り浴びせる海外投資家
・半世紀ぶりの超円安
・ロシアのルーブルより価値が下がる？
・エネルギー価格の上昇が日本経済に与える衝撃
シナリオ② 膨大な負債を抱え、日本は沈没する……24
・日銀の大失策
・大クラッシュを被るのは次世代
シナリオ③ 金利上昇と通貨切り下げで、日本経済は大打撃を受ける……29
・金利上昇で国が破綻する？
・恐れるべきは為替管理
シナリオ④ インフレで競争力が低迷する……33
・大半の国民にとってインフレは悪

・低価格、高品質だけでは勝てない
・加えて、イノベーションも重要
・DXの遅れが雇用を奪う
シナリオ⑤ 低迷する食料自給率が新たな危機を生む …… 42
・食料コスト上昇で起きること
・過度の保護主義をやめ、外国人労働者を雇え
・漁業が抱える課題も、農業と同じ
シナリオ⑥ 人口減少、少子高齢化で国力が地に落ちる …… 50
・なぜ、少子化対策を怠ったのか
・超高齢化時代と社会保障の大問題
・日本が捨てられても、充実した人生を送ることはできる

第2章 「二流国」に転落した日本
――激変する世界の覇権地図と、この国が進むべき道

「失われた30年」の正体 …… 60
・「英国病」と「日本病」――経済はこうして停滞する
・イギリス衰退は、「スウィンギング・ロンドン」の時代に始まっていた
・「シンガポールの奇跡」はなぜ可能だったのか

・「世界一裕福な国」だった日本に起きた異変
・栄光は永遠には続かない
覇権国アメリカの時代が終焉する …… 73
・アメリカの次は中国だ
・覇権への道にはいくつもの苦難がある
・中国の技術者たちが技術革新を牽引する
・これからのイノベーションの震源地
米中衝突リスクに日本はどう備えるか …… 83
・アメリカによる中国の封じ込めに同調する必要はない
・米中戦争は起きるのか
・「不要な戦争」に参加してはいけない
・それでもアメリカは戦争をやりたがる
サプライチェーンの脱・中国化が進む世界 …… 92
・脱・中国、日本回帰は可能か
・これから20年、注目すべきビジネスは半導体
日・中・韓、どう付き合うか …… 95
・アジアの国同士、手を携えよ
・日本は韓国に学べ

・38度線が開き、韓国にビッグチャンスが到来する

第3章 日本政府はもう、頼りにできない

変化を嫌う政府は国を滅ぼす …… 104
・今こそ大変化が必要だ
・金融界の激変に乗り遅れる日本
・今も残る「アベノミクス」の傷痕
・過去の過ちを認めず、政策を転換しない
ますます深刻化する上級国民と下級国民の分断 …… 115
・格差を放置する政府
・日本人の給料はなぜ、いつまでも上がらないのか
・もはや、海外のほうが成功できる
国が個人から資産を奪い、借金を返す …… 121
・オリンピックも万博も、起爆剤にはならない
・競争力のあるビジネスが育たない土壌

第4章 国を頼れない時代の人生戦略

海外に活路を見いだす日本人 …… 128

・「頭脳流出」の深刻化
・ネックは税金と事業コストの高さ
・住む場所、働く場所は自由に選ぶことができる
・今後も日本で働く人へ
・10歳、40歳、65歳のためのアクションプラン
有事に備える資産防衛術 …… 139
・この国に資産を置け
・米国株投資は最善の手とは限らない
危機の時代の投資戦略 …… 143
・不動産投資はおすすめできない
・私はここに投資する

第5章　日本が「捨てられない国」になるロードマップ

円安傾向は日本再興の起爆剤になりうる …… 150
・円安で株価が上がる理由
・ワイマール共和国のハイパーインフレの教訓
日本発・ビジネスの勝ち筋 …… 154
・アジア発エンターテインメントの中心地はいまや韓国だ

・コンテンツビジネスで、日本はどう勝つか
・超高齢化は商機になる
・日本人と生産性
日本に大チャンスが到来する産業①「観光業」 …… 160
・観光業はこれからが勝負時
・なぜ日本は、観光地として世界に知られていないのか
・外国人と接する経験値を高めよ
・観光立国になるために必要な「意識改革」
・世界に向けて日本の魅力を発信せよ
日本に大チャンスが到来する産業②「農業」 …… 169
・日本の若者に農業を勧めたいこれだけの理由
・移民の受け入れなど規制緩和が不可欠
日本に大チャンスが到来する産業③「教育」 …… 174
・まず、外国人留学生を増やせ
・日本よ、「捨てられない国」になれ

第1章

世界から捨てられる日本

――この国で始まった恐怖のシナリオ

シナリオ①
日本円は捨てられる

円を売り浴びせる海外投資家

日本は私の大好きな国だ。平成以降、日本経済の停滞は「失われた30年」とも呼ばれるが、残念なことに近年は衰退にますます拍車がかかっている。為替市場を見ればその傾向は明らかだ。

今、世界は通貨よりも物価が上昇するインフレ傾向にある。

このような状況のもと、円安が加速し、世界中の投資家たちから、日本（円）は捨てられ始めた。

2022年10月20日の外国為替市場では、1990年8月以来、およそ32年ぶりに1ドル＝150円台まで下落する場面があった。これは約30年前の日本で起きた、バブル崩壊後の安値を更新するものだった。

円を売り浴びせる外国人投資家に対して、「円の価値が下がったのは、外国人投資家のせいだ」と言い張った日本人がいるようだ。かつて衰退途上にあった時代のイギリス人はよく、「イギリスが破綻したのは、1973年に起きた石油ショックのせいだ」と言い張ったものだが、両国の状況はとてもよく似ている。

日本政府によって発表された、2022年9月29日〜10月27日の約1カ月間の外国為替市場における介入実績は、6兆3499億円だ。これは24年ぶりに実施された同8月30日〜9月28日の2兆8382億円を上回る金額で、1カ月あたりの円買い・ドル売り介入としては過去最大である。

政府と日銀は大幅な変動を容認せず、大胆な介入を行った。

中央銀行が紙幣を無限に刷り続ければ、その国の通貨の価値が相対的に下がるのは必然であり、その姿勢を改めないかぎり、通貨安の状況は続くものだ。

日銀は2016年以来、「金融緩和強化のための新しい枠組み」として、指定した利回りで国債を際限なく買い入れることを決定し、長年にわたりその取り組みを続けてきた。これはつまり、紙幣を際限なく印刷し続けた、ということでもある。

2022年12月、日銀はこの金融緩和策の方針転換を決めたが、あくまで「一部見直し」にすぎない。

財政上の問題を抱える国家では、必ず通貨が値下がりする現象が見られるものだ。実質実効為替レートは、その通貨の本当の実力を表すともいわれているが、このレートで見れば、2022年、日本円は実に30年前の安値水準にまで落ち込んだ。

一転して、2023年1月3日の外国為替市場において、円相場は1ドル＝129円台を記録する局面もあったが、まだまだ予断を許さない状況である。

半世紀ぶりの超円安

こうした状況のなか、アメリカでは物価上昇の高止まりが懸念され「連邦準備理事会（ＦＲＢ）が今後も急激な利上げを続けるのではないか」という見方もされているようだ。

バイデン大統領も一向に気にする気配がない。

世界経済の減速傾向が強まれば強まるほど、基軸通貨であるドルを買う動きにつながりやすい。そうなれば世界中の投資家から「円を買う」という選択肢は、ますますなくなっていく。

日本円が世界中から見捨てられ始めている、という兆候に気づいている投資家は、今はまだ少数かもしれない。大半の投資家はこれまで「日本円は安全資産であり、リスク回避のための避難通貨」だと考えてきた。その理由はいくつかある。主要国の通貨のなかで高い評価を得ていること、世界有数の対外資産を保有していること、治安がよくテロやクーデターなどにより相場が暴落する危険性が低いことなどだ。これまで日本円は非常に信用されていた。しかし、それは過去のことになりつつある。

ロシアのルーブルより価値が下がる?

これからの日本の未来を予測するうえで、2022年2月に始まった、ロシアによるウクライナ侵攻を抜きにして進めることはできない。なぜなら、世界の覇権地図を大きく塗り替えた出来事でもあったからだ。

ウクライナ侵攻が始まって以来、世界中から厳しい経済制裁を受けたロシアにお金を貸したがる国が減ってしまったためか、ロシアの対外債務は比較的少ない。

このように言うと驚く人が多いかもしれないが、現在の日本の財務状況は、ウクライナ侵攻開始以降のロシアよりも悪い。近ごろのロシアの負債額は、日本よりも少ない状況にある。驚くべきことに、日本よりも健全な財務状況なのだ。

戦争を始めたことによって、国際社会におけるロシアという国家の信用は地に落ちた。「信頼」というものは、為替市場において非常に重要だ。ロシアはこれから、信頼回復に向け努力することになるだろう。仮に、ロシアが停戦を発表したとしよう。その段階でも日銀がこのまま全面的な見直しをすることなく金融緩和を続けていれば、日本円は経済制裁を受けているロシアのルーブルよりも弱い通貨になるかもしれないのだ。

「日本は、国際社会でロシアより信用されている」と思う人は多いだろう。しかし、必ずしもそうとは言い切れない。

世界各国の10年国債利回りを比較すれば一目瞭然だ。21ページの図にあるように、アメリカ、ドイツなどの先進国と比べて、日本はより低調に推移している。他国と同じように金利を上げていかなければならない。そうでないと日本は国際市場から信頼を得られず円は下がり続けるだろう。

日本が世界から見捨てられつつあることに気づいている人は、現状では少数だということに大半の市場参加者がこのことに気づくころ、彼らは「ほとんど利回りがない10年債券を買うわけがない」というに違いない。

エネルギー価格の上昇が日本経済に与える衝撃

これまで、ロシアはエネルギー大国であり、同時に農業大国でもあった。エネルギーに関して、原油生産量は世界で第3位、天然ガスは世界第2位の座にあった(2021年)。しかしウクライナ侵攻を受けて、アメリカは2022年3月、ロシア産の原油・石油・石炭・天然ガスの輸入を禁じる経済制裁を決定した。その翌月、ヨーロッパ連合(EU)はロシア産の石炭の輸入禁止を決定。5月には、一部を除き、ロシア産の原油・石油の9割を年末までに禁輸する方針で合意した。

またG7(アメリカ・イギリス・日本・イタリア・ドイツ・フランス・カナダ)は、ロシア産の石油を禁輸する方針で一致した。

図1　各国10年国債利回り推移

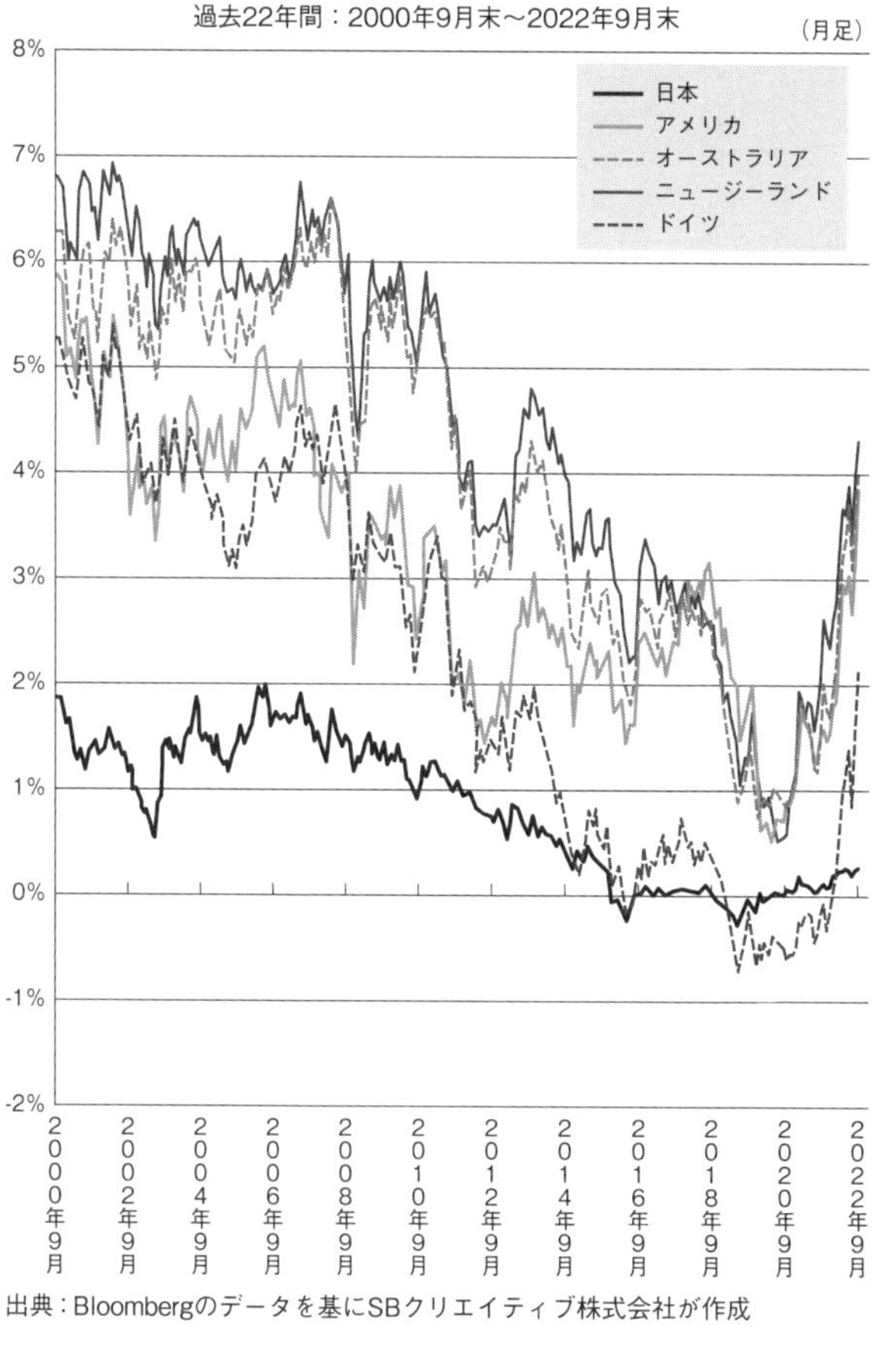

出典：BloombergのデータをもとにSBクリエイティブ株式会社が作成

そして農業では、ロシアはとくに穀物を大量に生産してきた。年によって総収穫量のブレは大きいものの、小麦の生産量は世界第3位、大麦は世界第1位であった（2020年）。ソ連時代は畜産のために大量の飼料穀物が必要だったことから、「世界最大の穀物輸入国」だったが、次第に小麦をメインとした穀物輸出が盛んになり、2018年に世界最大の小麦輸出国となった。

しかし、今回の出来事で状況は一変し、世界中のエネルギー価格、農作物価格が大きな影響を受けている。

とくに農作物は、有事においては生産が滞りがちなので、価格が急騰している。戦争が引き金となって、さまざまなものの価格は上昇する。戦争が長引けば長引くほど、その傾向は強くなる。

エネルギーについて、最も不利益を被っているのはヨーロッパ諸国である。エネルギーの大半をロシアからの輸入に頼っていたためだ。ロシアから輸出する天然ガスの約7割、石油の約5割がヨーロッパ向けのものだった年もあるほど、依存度が高かったのである。とりわけ、天然ガスの高騰が甚だしい。

これは日本にとっても対岸の火事ではない。食料自給率のみならず、エネルギー自給率も低いからだ。日本のエネルギー自給率は2019年度時点では約12%。世界各国と比較すると、低い水準である。日本はエネルギーを石油や石炭、天然ガスなどの化石燃料に頼っているが、国内にエネルギー資源が少ないため、大半を海外からの輸入に頼っている。天然ガスに関しては実に約98%が輸入だ。

現在起こっている世界的な天然ガス価格の急騰に近年の円安傾向もあいまって、日本のエネルギー価格は急上昇している。そしてインフレにともない日本円が売られ、「負のスパイラル」に陥りつつある。

シナリオ②　膨大な負債を抱え、日本は沈没する

日銀の大失策

近年の為替の動きを見ていると、恐ろしいほどの速さで日本経済が崩れ落ちているようで、不安に感じる人は多いだろう。

このような状況下においてはたいていの場合、中央銀行が策を講じないかぎり、経済が低迷し続ける。

急速な円安の進行によって、日銀の黒田東彦《はるひこ》総裁の金融政策に対する批判が強ま

った。彼の政策により、少しの間は景気が回復したかもしれない。しかし、長期的な視点に立てば、日本の負債をふくらませ景気の悪化を導いた。日本は長期間にわたって、そのツケを払ってきたのである。

政治家や経済評論家のなかには、「債務残高は増大しているものの、それに比例して純資産も増大しているので問題ない」と言う人もいる。

では、資産が暴落した時にはどうなるだろうか？　資産価値が下がっても、負債の評価は変わらない。バブル時はとくにそうで、借入を増やすために負債が増える場合もある。歴史を見ると、その可能性は比較的高い。

また、「日本には大きな債務残高があるが、国民は巨額の資産を持っているので、国としての債務は少ない」という話もよく耳にする。

国民の資産を国の負債返却にあてるのは正気の沙汰ではない。しかし、現にそれが行われている。国民の資産を税金として集め、国の債務返済にあてているのだ。

こうした状況下で、「緊急事態であり、国を守るためだ」と言い訳するのが政府の常套手段だ。

国の長期債務は1000兆円を超え、地方を含めると1200兆円を超えている。国の債務が増えれば、国の問題が増える。そうしたなかで、たとえ地方自治体が独自で稼いだとしても、国が負債を持っていれば本来のスピードで国が成長することはできない。多額の借金を抱えながら速く走るのは難しいことなのである。

日本人は勤勉で有能だから、借金がなければ非常に速く走れるだろうが、今は借金に追いかけられ、足を引っ張られている。国が常に借金の心配をしているようでは、経済成長に転じることは不可能だ。

大クラッシュを被るのは次世代

通貨の流通量を増やせば増やすほど、その価値は下落する。たしかに一時はバブル景気となり、不動産価格や株価が上昇するかもしれない。しかし、その先には大きなクラッシュが待ち受ける。そして、そのツケは次世代の若者たちが払うことになる。

黒田総裁が、残りわずかな在任期間のうちに正しい政策転換を行わないかぎり、日本が抱える問題は先送りされるだけで、次の日銀総裁は大変な目に遭う。

今、大半の相場参加者が「日銀は信頼できない」と感じているだろう。彼らはどんどん円を売り込んでいる。いくら日銀が株や債券を操作しても、焼け石に水となる。

こうした状況に対し、日銀の次期総裁はどのような手を打つだろうか。政策金利（中央銀行が金融政策に用いる短期金利。金融機関の預金金利・貸出金利などに影響を与える）を引き上げると私は見ている。その場合、円も日本の株式市場も一時的に上昇するかもしれない。日本は最もひどい時期を脱するからだ。しかし、わずかな引き締めでは不十分で、アメリカのFRBのように何度も利上げをしなければならなくなる可能性も高い。

多額の債務を抱える日本にとって、利上げは大きな試練となる。そのため、日本は金融緩和を全面的にやめることができないのだ。実際、アメリカやヨーロッパが利上げに動いているにもかかわらず、黒田総裁は一部見直しつつも金融緩和を続けるといっている。

そして、もし市場参加者が日本の金利市場を支配したら、金利は急上昇し、円は一気に売られるはずだ。

この時、日本の市場は崩壊するが、これでいったんリセットされてゼロからのスタートができるだろう。もし私が日銀総裁になったら、相場を支配しようとすることはやめると思う。

遅かれ早かれ、ツケはできるだけ早く払ったほうが身のためだ。対応が遅れれば遅れるほど、後始末は大変になる。

日本経済はさらに弱体化し、いずれは国際収支と為替相場を安定させるため、政府が外国為替に直接規制を加える為替管理のほか、あらゆる規制が導入されるだろう。歴史上、スペイン・ポルトガル・イタリア・オランダなどといった、かつての覇権国も同じ道のりを経て力を失っていった。

イタリアはローマ帝国の栄光を早々に失ったし、スペインやポルトガル、オランダも大航海時代には世界に打って出ることで栄華を極めたが、その後に台頭してきたイギリスに追われるかたちで栄光の座を譲った。

シナリオ③ 金利上昇と通貨切り下げで、日本経済は大打撃を受ける

金利上昇で国が破綻する？

現在、日本の金利は実質的にはゼロ、あるいはマイナスである。しかし、私はい

つか金利が上昇すると考えている。先進国において、金利はそれほど上がることはないという説も存在するが、必ず上がる。金利が上がった時、政府債務が多い日本は大惨事に見舞われるだろう。

積み重なった巨額の債務によって、金利負担が大きくなる。国の財政は悪化し、日銀が抱え込んだ国債なども大きな負担となる。これは国家の破綻にもつながりうる危機だ。

また、金利が上昇すると、金融機関は以前より高いコストで資金調達しなければならない。そのような状況下においては、企業や個人も金融機関からの借入に際して高い金利を支払うことが求められる。それゆえに、企業や個人は資金を借りにくくなり、経済活動がさらに停滞することになる。

日本経済は、第二次安倍政権のアベノミクス「第一の矢」である金融緩和により、円の価値を切り下げた（円安へと誘導した）ことで恩恵を受けた、と見なす人もいる。しかし私はそうは思わない。

金融緩和によって株価は上昇し、恩恵を受けた会社もたしかにあった。しかし、日本国民全体の暮らしがよくなったかというと、必ずしもそうではない。

金利上昇と通貨切り下げは、いずれも日本経済に打撃を与える。歴史上、通貨の切り下げによって経済が成長した国は存在しないが、金利上昇に比べれば容易な解決策に見えるためか、通貨切り下げという手法が選ばれることは多い傾向にある。

恐れるべきは為替管理

さらに恐れるべき事態は、国債費支出と為替相場の安定維持のため、政府が外国為替取引に直接規制を加え、為替管理を行うことだ。この手段が選ばれた場合、円を他通貨に替えることは困難になるし、中国のように海外への送金限度額が設けられる可能性もある。中国では個人の海外送金に対して「1年間で5万ドルまで」という決まりがある。

このような規制が生まれれば、外国人は日本への投資をより敬遠するだろうし、日本からの資本流出も加速する。結果として、あらゆる業界が打撃を被るだろう。

このように、為替管理は国の経済に大きな打撃を与える選択肢だが、他方で為替管理を行わずして国際収支の均衡を維持することは難しいので、政治家はこの手っ取り早い解決策に飛びつき、「これが最善策だ」と主張することが多い。そして、期待したような結果が出ない場合、為替管理はより一層厳しいものになる。

シナリオ④　インフレで競争力が低迷する

大半の国民にとってインフレは悪

今、コロナ禍やロシアによるウクライナ侵攻、さらには近頃の円安傾向によって、日本の物価は急速に上昇しインフレ状態にある。

「国の経済を成長させるためには、多少のインフレは必要である」——中央銀行の関係者の常套句だが、必ずしもそのように言うことはできない。

原油産出国のような「輸出者」にとっては、インフレがもたらす価格上昇は歓迎すべきものだが、それ以外の人々にとってはよくない。大半は後者にあたる。

インフレのもたらす悪影響として、競争力の低下がある。

トラクター生産業者を例に挙げて説明しよう。インフレが起きると、この企業が海外へ輸出できる台数は減少し、状況次第では国内でしか販売できなくなってしまう可能性もある。これは、インフレによって「値段」という競争力を失ってしまうからだ。一企業の競争力の低下は国の競争力低下にもつながり、一大事となる。日本も決して例外ではない。

低価格、高品質だけでは勝てない

なお、インフレとともに生じた円安傾向は、輸出企業にとってはプラスの側面もある。

自動車会社の例で説明しよう。たとえば1台150万円の日本車をアメリカへ輸出するとする。1ドル95円であれば、アメリカでの販売価格は1万5789ドルだ。これが円安ドル高の場合にはどうなるか。1ドル150円の場合、アメリカでの販売価格は1万ドルとなり、円高時よりも5789ドルも安くなる。価格競争力が高まるためこの自動車会社は儲かり、株式の買い手が増え、ひいては株価が上昇する可能性も高まるのだ。

かつては、このような高い国際競争力を有する企業が日本にも存在した。その代表格がトヨタ自動車（以下、トヨタ）である。

トヨタは世界最高峰の品質を誇る自動車会社として、世界に知られる存在だ。トヨタ以前に自動車業界でトップの座についていたGM（ゼネラル・モーターズ）は、1930年代から戦後にかけて、アメリカ国内最大のシェアを誇った。1965年ごろに最盛期を迎えたGMは、トヨタが輸出を開始しアメリカ市場に参入することに対して、ほとんど気にとめておらず油断していた。

当時のGMは世界で最も重要な会社の一つだった。コンサル会社は彼らに、日本企業が自動車業界に参入することを話したが、GMの幹部はそれを笑い飛ばしたのだ。なぜなら、当時の「メイド・イン・ジャパン」は一種のジョークと思われていたからだ。

トヨタが優れていたのは価格だけではない。品質の高さも担保されていた。これらを兼ね備えていたからこそ、高い競争力を持つことができた。

GMが、ガソリンをがぶ飲みする燃費の悪い高価格の車をつくり続けたのに対し、トヨタに代表される日本の自動車メーカーは、いち早く燃費のいい車を低価格で提供することに成功し、瞬く間にアメリカにおけるシェアを奪った。

その後の展開は、皆さんもご存じの通りだ。GMは2009年に連邦破産法11章(日本の民事再生法に相当する)の適用を申請し、経営破綻した。負債総額は1728億ドルで、これは世界の製造業で史上最高規模、全業種で見てもアメリカ史上第3位の規模ともいわれる。同社はその後、国有化され、経営再建を目指すこととなった。

どの国でも、消費者は往々にして高品質の製品を欲しがるものだ。家計が苦しい時期は「とにかく安いこと」を最優先に選ぶが、これはあくまでも一時的な現象で、品質を無視して低価格に走れば、その製品は、最終的には市場から消える運命にある。価格の安さと品質の高さを兼ね備えてこそ真の競争力となるのだ。

これは経済が停滞し、あらゆる産業で競争力を失いつつある現代の日本企業に、今一度心にとめてほしいことである。

日本発のグローバル企業は世界各地に工場を持っているので、国内における産業の空洞化を懸念する声も存在する。しかし、私はそのようには思わない。今、海外にある日本企業の工場が、はたして約50年前のトヨタのように低価格かつ高品質の商品を日々生み出し続けているかというと、そうではないからだ。

日本企業が低価格路線を追求しても、さらなる低価格を実現することができる韓国や中国などの国々が存在する。それらの国との熾烈な価格競争で勝ち抜くことは非常に難しい。どこかが安いものをつくると、それよりも安くつくるところが必ず出てくる。これは歴史の必然だ。

加えて、イノベーションも重要

質を担保し続けるためには、イノベーションを起こし続けるほかはない。

たとえば、AppleがiPhoneやiPadを生み出したことで、世界のＩＴ市場はパソコンの時代から、モバイルの時代へと大転換した。そのなかでAppleは王座に君臨し続けているが、それは競合に負けない商品力を維持するために、イノベーションへの努力を怠らないからである。

どれほど画期的な製品でもその後、競合商品が生まれてくればコモディティ化して、より安い製品をつくる企業にトップの座を譲ることになる。市場競争の荒波にのまれないためには、ゲームチェンジを起こすような画期的製品を生み出す力が欠かせない。

35ページでトヨタを具体例として挙げたように、かつて日本企業は、「よりよいものを、より安くつくる」ことで世界に通用する高い競争力を身につけた。そして、それと同時にかつてソニーが「ウォークマン」を生み出したり、トヨタが「プリウス」をつくり上げたりしたように、画期的な商品を生み出すイノベーション力も兼ね備えていた。

トヨタは今もなお、世界ナンバーワンの自動車メーカーであり、電気自動車など新たな分野にも果敢に挑戦している。挑戦し続けていることに対しては好意的に評価したい。

しかし近年では、中国を筆頭に、トヨタより低い製造コストで電気自動車をつくれる企業が生まれてきている。トヨタがGMからシェアを奪った時と同じことが起きる可能性は否定できない。

時代の変化に対応しなければならないのは、日本に山ほどある中小企業も同じである。

「高品質・低価格」に加えて「革新性」も武器にしなければ、世界で勝つのは難しい。低迷する日本経済を上向かせるために、改めてこの原点に立ち返ってほしい。企業の競争力低下は日本の経済力を低下させ、多くの雇用を奪うことになる。その最終責任を負うのは日本政府なのだ。

DXの遅れが雇用を奪う

ちなみに、これはイノベーション以前の話だが、日本のデジタル庁が最近、「フロッピーディスク、CD‐ROMなどといった記録媒体によって、庁内の業務を煩雑にしている」として、提出媒体の指定撤廃へ向けて動いているというニュースを知った。フロッピーディスクという単語自体を久しく聞いていないので、まだ日本が使っていると聞いて非常に驚いた。

シンガポールでは、役所で行われるほとんどの手続きがオンライン化されている。一方で、日本ではいまだに役所に足を運び、紙で手続きしなければならないという。

なぜ、日本ではこれほどデジタル化が進まないのか？　その理由の一つには、雇用が失われることへの不安があると聞く。しかし、その心配は無用だと私は考える。

実際に、ノルウェー・スウェーデン・フィンランドといったスカンジナビア半島の国々では、何もかもがオンラインで手続きが行われるが、そこで働く人々はまだ存在しているし、雇用は失われていない。

「イノベーションが人の雇用を奪う」と言い続ければ、国は衰退の一途をたどるだろう。

テクノロジーの進化に抵抗する国は成功できない。抵抗すればするほど、その国の競争力が低下するからだ。むしろ、雇用を奪うのはイノベーションではなく、競争力の低下である。

シナリオ⑤

低迷する食料自給率が新たな危機を生む

食料コスト上昇で起きること

皆さんもご存じの通り、日本は食料自給率が低い。食料自給率とは、その国で供給される食料のうち、どれくらいの割合を国産が占めているかを示す数字で、分子を「国内生産量」、分母を「国内消費仕向量」として算出される。

これは、小麦、大豆、牛肉などいろいろな品目ごとに算出されているが、肉類を国内で生産するために必要不可欠なのが、トウモロコシなどの飼料である。日本は、この飼料自給率も低い。

たとえば、牛肉を1kg生産するために必要な穀物は、トウモロコシで換算すると11kg、豚肉では6kg、鶏肉では4kgだ。これだけの量のトウモロコシを収穫するためには、広大な農地が必要であることは容易に想像できるだろう。肉類の安定供給を図るためには、外国産の飼料に頼りきりでは心もとない。食料安全保障上、これは非常に危ういことである。

食料安全保障とは、その国に住むすべての人が生命を維持し、活動的で健康的な生活を送るために、将来にわたってよい食料を適正な価格で手に入れられるようにすることで、これは国家の責務だ。

2022年、ロシアによるウクライナ侵攻が始まり、世界レベルで状況が悪化したことを受け、多くの国々が食料安全保障の重要性を再認識することとなった。

世界のなかでも、とりわけ日本は深刻な状況にある。もともと食料自給率が低いことに加えて、急激な円安なども重なったためだ。

こうした背景のなか、食料価格は高騰している。この状況が続けば、食料を入手できない人も出てくるだろう。国民の生活への影響は計り知れない。

過去を振り返ると、食料危機や食料価格の高騰をきっかけに暴動が起こり、崩壊してしまった国は多数存在する。主食である米の高騰が続いたとしたら、日本国民はさぞかし困るだろう。そのような状況にならないよう祈っている。

過度の保護主義をやめ、外国人労働者を雇え

では、どうすれば「食料安全保障」に関する諸問題を抜本的に解決できるだろうか。

たとえば、ブラジル・オーストラリア・アルゼンチン・ロシアなどの国が大量の農産品を輸出しているが、こういった国は広大な土地を保有しているので農地も広大だ。つまり最初から優位に立っている。

逆に、日本やシンガポールなどといった国土の小さい国が、土地を増やすことは

難しい。こうした国において一番重要なことは、農業の保護主義をやめることだ。日本は、主に次の2つの保護策をとることで自国の農家を守っている。

1つ目は、輸入食料に高い関税を課すことだ。

米を例に挙げよう。外国産の安価な米が国内に輸入されると、「より安価なものが有利」という資本主義経済の原理によって、価格の高い国産米は市場から排除されてしまう。

しかし、外国米の関税を高くすればどうなるだろう。相対的に国産米のほうが安価になり、国産米の需要が増える。なお、外国米にかけられる関税は280%である。

2つ目は、所得補償などといった経済的支援だ。当然、税金があてられる。

こうした過保護を見直すことが必要だ。

多くの日本人は、「日本米はほかの国の米よりもずっとおいしい」と思っているかもしれない。しかし、日本品種はアメリカや中国でも生産されていて、中国産（日本品種）の米は、国産米の実に約5分の1～10分の1の価格で販売されている。これはすべての農作物にいえることだが、まずは安価でないかぎり、日本の農作物は国際競争力が低い。

農作物をより安価にするためには、生産量を増やすことも重要だ。そのためには人手を増やすことが必要になる。農業大国・アメリカでは、積極的に外国人労働者を雇って人手を確保している。この点においては、日本はアメリカをロールモデルにするべきだ。

漁業が抱える課題も、農業と同じ

食料自給率という点では、農業だけではなく、漁業についても考えておく必要がある。

「日本は島国という地の利を生かし、漁業でよいポジションをとれるか?」という問いに対しては、私は必ずしもそうではないと答える。

なぜなら、日本の魚は非常に高価だからだ。

たとえば北朝鮮においても日本と同じような魚介類がとれるが、非常に安価だ。おそらく北朝鮮はその魚を中国に売り、中国はそれを「中国産」と称して売っているだろう。

ここで課題になるのが、農業と同じく「誰が担い手になるか」である。国内の担い手は、平成から今まで絶えず減少している。1988～2018年の30年間で約60％も減少し、約15万1700人となってしまった。解決のための選択肢は、

[1] 少子化に歯止めをかけて、子どもを増やす

[2] 移民を積極的に受け入れる

この2つだ。漁業従事者を増やすことと、漁業の収益性および魅力の底上げが重要だ。

近ごろ、日本政府は「毎年6万9000人の外国人労働者を受け入れる」と言ったが、総人口1・25億人に対して、これはとてつもなく低い数字と言わざるを得ない。

受け入れる外国人を増やすことに加えて、彼らに永住権だけではなく国籍取得要

図2　日本の人口構成

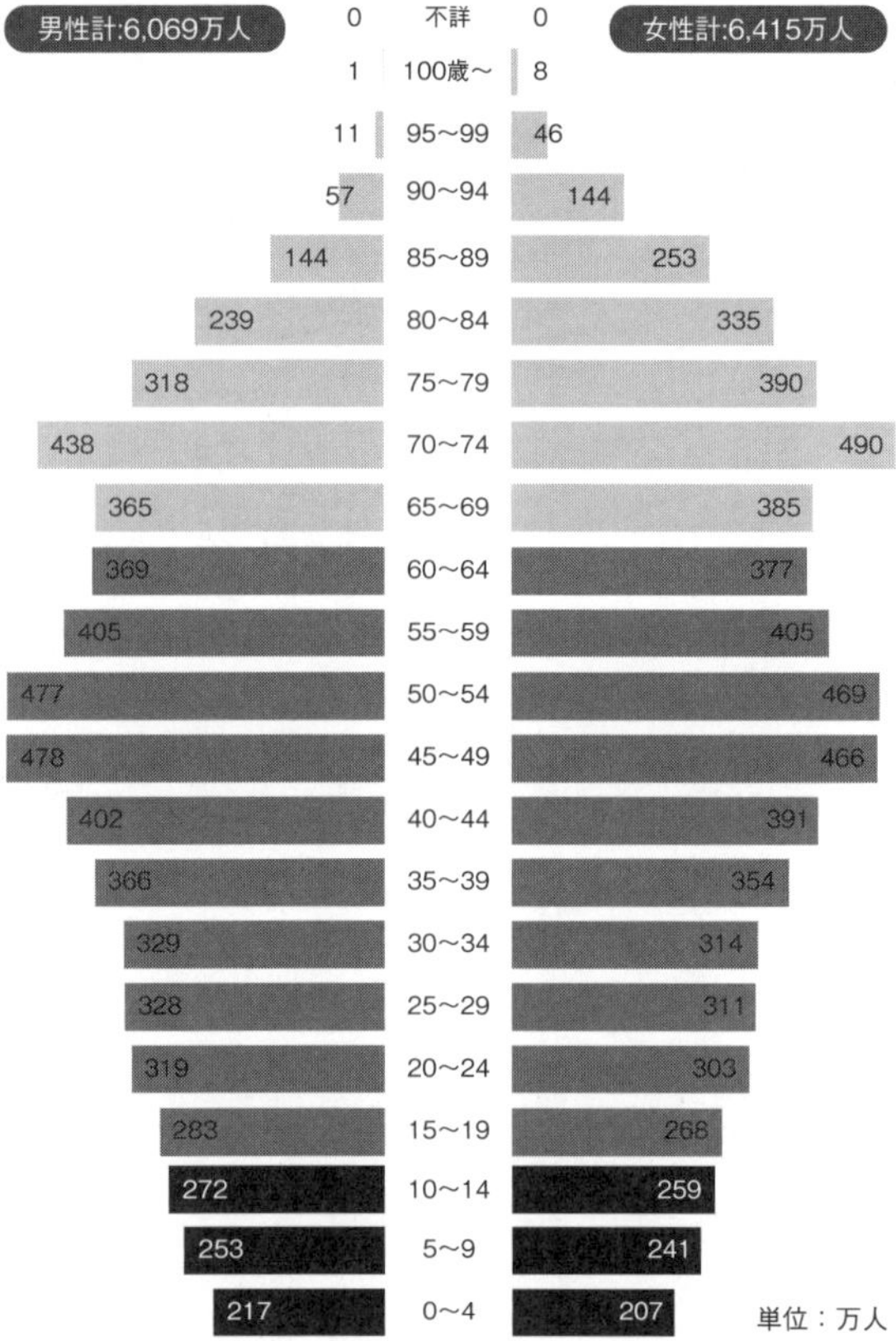

出典：総務省「人口推計」2022年11月報のデータを基にSBクリエイティブ株式会社が作成

図3　出生数と将来推計人口

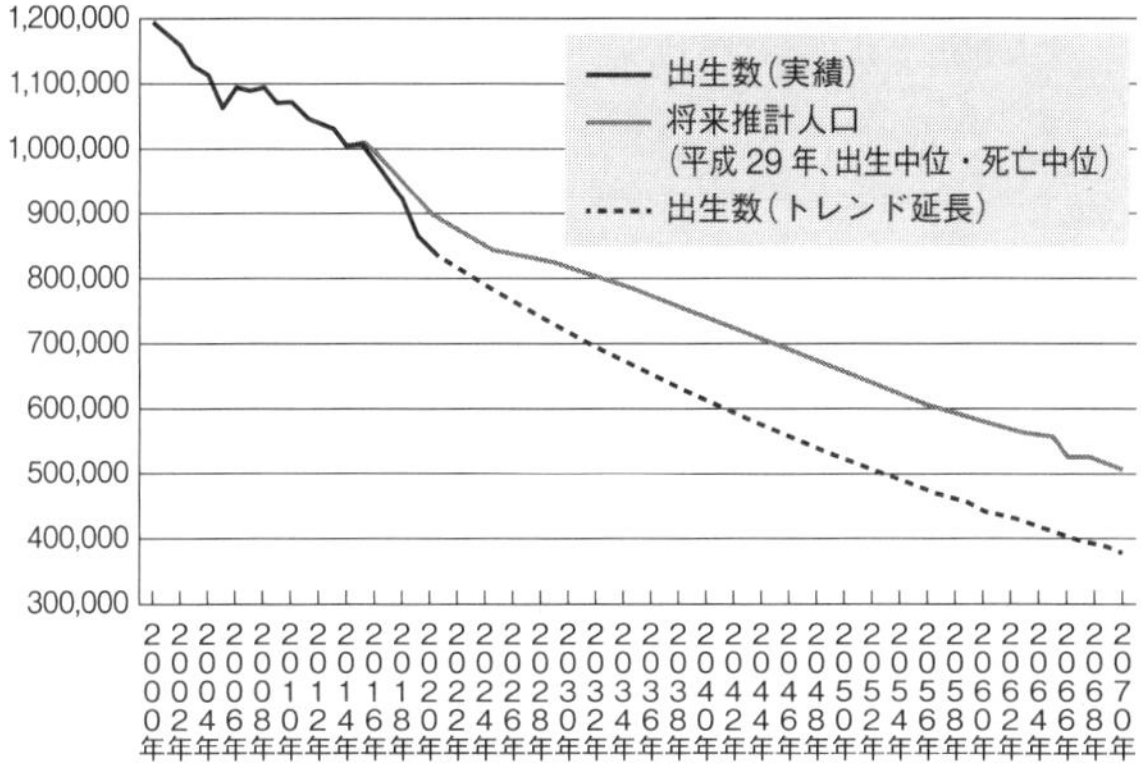

出典：キヤノングローバル戦略研究所より引用

件を緩和するなどの工夫が必要だ。

食料自給率を上げることは食料安全保障のうえで不可欠だが、そのためには農業や漁業の担い手を育てることが欠かせない。国内に担い手が乏しいなら、海外に求めるべきだ。私は日本を愛し、この国の食べ物が大好きだ。日本の食文化を守るためにも、食料自給率向上を目指し、今すぐ行動してほしい。

シナリオ⑥
人口減少、少子高齢化で国力が地に落ちる

なぜ、少子化対策を怠ったのか

前項で述べたように、食料自給率を上げるためには「担い手を増やす」ことが欠かせない。こうした事態の原因は、日本政府が少子化対策を先送りにしてきたことにある。

同時に、世界でも例を見ないほどのスピードで高齢化も進んでいるため、労働人口の減少は依然として続いている。

48ページの図で示したように、日本の人口構成はいびつなかたちをしている。少子高齢化が進む国は、皆これと似たかたちをしているものだ。

合計特殊出生率（2021年が1・30）が世界でも低く、国民年齢の中央値（2020年で48・4歳）は世界でも高い。人口動態からすれば、21世紀末には日本の人口が半分になる（中位推計で6414万人）のは明らかだ。

日本は巨額の財政赤字を抱えているにもかかわらず、税金や社会保障費の担い手は減り続けている。財政赤字を減らすための努力を怠ってきたこの国において、人口減少は致命的なリスクだ。

問題解決のためには、

1 女性1人あたり2・1人の子どもを産み、育てることができる環境をつくる

2 移民を受け入れる

この2つの方策をとる必要がある。日本を救うためには、とにかく子どもを増やさねばならない。にもかかわらず、合計特殊出生率は一向に上昇に転じない。

戦後、繁栄の時代を築き、世界第2位の経済大国にまでのぼりつめたこの国の成功は、人口が増えていたからこそ成し得たことだ。

それが今となっては人口動態が改善するどころか、悪化の一途をたどっている。

日本政府は、少子化対策に効果が期待できそうなことなら何でもやるべきだ。たとえば子育てにインセンティブを与え、仕事と育児が両立しやすい環境をつくるなどの方策は有効であるはずだ。女性が「育児かキャリアか」という厳しい二者択一を迫られないようにする政策を第一に掲げる必要がある。また同時に、日本の男性の「結婚」「子育て」に対する意識改革を促し、社会全体で育児を応援する「雰囲気」を醸成することも大切だ。

あらゆる手を打てば、次第に「子は宝」という認識が広まり、「家事と育児は女性がやるべき」といった古い価値観は変わっていくはずだ。

もし1の日本人の出生率を上げる方策をとることが難しいのであれば、2の移民を積極的に受け入れるという方策しかない。だが、日本人はどういうわけかあまり外国人を好まないようで、なかなか状況は好転しない。

移民を受け入れようとすると、「日本人の仕事が外国人に奪われる」と反対する声が挙がる。しかし、実際は逆で、移民は雇用を創出していると私は考える。

このことは簡単な計算をすればすぐにわかる。次の質問に答えてみてほしい。

「もし今、アメリカからTeslaやSpaceX、GoogleやMicrosoftがなくなれば、世界からどれだけの雇用が失われるだろうか?」

移民たちはまた、斬新なアイデアをもたらし、社会に活気を生み出してくれる存在でもある。実際、MicrosoftやGoogleのCEO（最高経営責任者）はインドからの移民、TeslaやSpaceXのCEOであるイーロン・マスクは南アフリカ出身。そして、イノベーションの中核を担ってきたIT企業・GAFA（Google・Apple・Facebook＝Meta・Amazon）の創業者たちにも、海外にルーツを持つ人々が名を連ねる。

また、移民は子育てに対して積極的な傾向があるので、少子化の解消にも貢献してくれるはずだ。

たとえ、日本の女性たちが子育てに対してあまり積極的になれなくても、移民の女性たちが母親の代わりになってくれる。日本が「人口増」へと転じる希望の光になるだろう。

少子化という課題を解決したいなら、日本人女性が子育てしやすい環境を整備する一方で、移民を積極的に受け入れるべく、現在の移民・外国人雇用・ビザ・貿易制限にかかわるすべての法律を撤廃すべきだ。

早く手を打たなければ、この国はかつてのビルマのようになってしまうかもしれない。

ビルマ（1948〜1989年まで。軍事政権により、以降の国名はミャンマーに変更）は、中国・インド・バングラデシュ・ラオス・タイに囲まれた、東南アジアの国である。

19世紀にイギリスの植民地となったのち、第二次世界大戦終結後の１９４８年にイギリスから独立を果たした。

この国はアジアで最も裕福だった時代もあったが、今の日本と同様、外国人に融和的でなかったため、約50年後にはアジアで最も貧しい国になってしまった。

深刻な貧困に悩む国が多いアフリカ諸国のなかでも、イギリスの植民地であったガーナ共和国は裕福な国だったが、ビルマ連邦と同様、外国人を拒んでからは一転して衰退した。

これらは「アンチ外国人」の方針を選んだ国家の未来に、どのような結果が待ち受けるかを示す教訓といえるだろう。

超高齢化時代と社会保障の大問題

少子化と同時に高齢化も進む日本においては、社会保障の問題も非常に深刻だ。高齢者の人口が増えると、その生活を賄うために多くの労働者が必要になる。少子化によって労働人口が減少すれば、この「現役世代の過重負担」は悪化する一方だ。

先進国の大半は日本と同じ課題を抱えているが、なかでも日本の労働人口の減少は著しい。先進国のなかで最初に深刻な年金問題に直面するのは、おそらく日本だろう。

一時期、日本では定年後の生活費として「2000万円必要」などと言われていたと聞く。実際のところ、どれくらい必要だろうか？

インフレ率、運用リターン以外にも、為替の計算により必要な資金は大きく変わってくるだろう。つまり重要なことは、ひとりひとりがじっくり考えて、自分に合う老後資金を算出することだ。

日本が捨てられても、充実した人生を送ることはできる

本章では、日本が直面している6つの恐ろしいシナリオについて論じてきた。現状を見れば暗い話が多くなる。しかし、危機的状況でも必ず希望はある。それは、実際に国をつくるのは政府ではなく個人であり、しっかりと備えれば充実した人生を生きることはできる、ということだ。

政府というものはえてして、国民に対して「国のために犠牲を払え」と言いつつも、彼ら自身は身を切ることをしないものだ。

第二次世界大戦終結後、イギリス政府が国民と共に痛みを分かち合い、耐えることをしていれば、失業率が上がりある程度の貧困を生んだかもしれないが、それと引き換えに国内の産業に競争力が備わり、イノベーティブな新技術も生み出すこと

ができたはずだ。しかし、それをやらなかった結果が後述する「英国病」である。

今の日本も、政府が国民とともに痛みを分かち合おうとしなければ、同じことになるだろう。そして、最終的に損をするのは国民だが、私の見るかぎり、大半の日本人にはそれほど危機感がない。今起こっている現実をしっかりと見ることができていないのかもしれない。

「英国病」時代のイギリスも同じだった。国民は目の前にあるリスクをしっかりと認識できていないどころか、むしろ楽観的なムードであった。それは、経済が停滞する直前の１９５０年に、イギリスに移住する人が多かったということからもおわかりいただけるだろう。

本書を手に取った皆さんには、ぜひとも自分自身を守る方法を学び、きたるべき将来に備えてほしい。今はそれほど危機感を抱いていない人も、きちんと学べば日本の行く末が心配になり、そうなれば将来に備えて計画的に準備を進めていくことができる。

第2章

「二流国」に転落した日本
――激変する世界の覇権地図と、この国が進むべき道

「失われた30年」の正体

「英国病」と「日本病」——経済はこうして停滞する

平成から令和にかけて、数十年にわたる停滞にあえぐ今の日本の姿は、まるで「英国病」に悩まされたころのイギリスを見ているかのようだ。戦後の一時期、この国は「一流国」であった。しかし、そのころの栄華はいまや見る影もなく、もはや「二流国」に転落した、と言っても過言ではない。

一流国は永遠に続くことはなく、台頭してきた別の一流国に取って代わられる。これは歴史の必然で、日本もこの法則から逃れられなかった、ということである。

「英国病」とは、第二次世界大戦後、イギリスで長期間続いた社会・経済の停滞現象だ。とくに1960年代から1980年代の状況を指して言われることが多く、工業生産力や輸出力の減退、国民の勤労意欲の低下、慢性的なインフレ、国際収支の悪化、それにともなう英ポンドの下落、および、こうした数々の問題があるにもかかわらず、対処することができなかったイギリス特有の硬直性を総称した言葉である。

「歴史上、成功し続けた国は存在しない」と私はよく話すが、「英国病」は、そのことを端的に教えてくれる。19世紀には覇権国の座にあったイギリスだが、歴史が証明する通り、その栄華は永遠に続くことはなかったのだ。

当時のイギリスは、ヨーロッパ諸国から「ヨーロッパの病人」と呼ばれるほど悲惨な状況にあった。その背景には、「ゆりかごから墓場まで」と呼ばれた充実した社会保障制度、石炭・電気・ガス・鉄道や運輸・自動車産業や航空宇宙産業といった基幹産業の国有化、固定的な階級制度、労働力の不足、頻発する労働組合のストライキ、保守的な経営による合理化の遅れなど、さまざまな要因が存在した。

では、イギリスはどのようにしてこの悲惨な「病」から立ち直ったのだろうか。サッチャー政権（1979〜1990年）の構造改革が起爆剤になったという人もいるが、サッチャー政権時代にイギリス経済は一時的に持ち直したものの、英国病の克服といえるほどの絶大な効果があったかというと、疑問が残る。

復活の決定打となったのは、1960年に開発が始まった北海油田だ。イギリスは1980年から2005年までの間、石油の純輸出国となり、外貨を豊富に獲得できるようになったのである。

以降のイギリス経済は、1992年から2007年まで連続してプラス成長を続け、2001年には、ブレア政権が「英国病克服宣言」を行うに至った。

イギリス衰退は、「スウィンギング・ロンドン」の時代に始まっていた

この「英国病」は、いつから始まったのだろうか。ずっと以前からポンド安は始

まっていた——このようにいうと、驚く人もいるかもしれない。当時、大半のイギリス人は事態の深刻さに気づかなかった。そして、彼らが気づいた時にはすでに手の施しようがないほど病が進行してしまっていた。今日の日本の姿にそのまま重なる。

イギリスは第二次世界大戦の戦勝国となり、国全体が浮き足立っていた。やがて、1960年代の「スウィンギング・ロンドン」が到来する。これは、若者たちが担い手となった一種の「文化革命」であり、現代性と新しい快楽主義を強調した一大ムーブメントだった。芸術・映画・音楽・ファッションなど、さまざまな分野が盛り上がり、世界中の若者たちがイギリスに熱い視線を送った。

その象徴的存在が、ビートルズやミニスカートを世界に流行させたモデルのツィギーであり、サイケデリック・アートもこの時期に誕生している。よもやこの時点で、国が「病（衰退）」を発症していようとは、多くのイギリス人は気づくはずもなかった。

第二次大戦で支出が膨張し不況に見舞われたことで、次第にイギリスは債務に苦しむようになる。同じような状況に見舞われた国はほかにも存在したが、なぜかイギリスは対策を怠り、債務超過に陥った。

戦勝国になったうぬぼれも一因だったかもしれない。経済成長へと舵を切るための起爆剤となりうるイノベーションは、当時のイギリスには存在しなかったのである。

こうして資金難に見舞われたイギリスは、国土から遠く離れた植民地を統治する余力を失い、引き揚げることとなった。

イギリスは、スエズ戦争（第二次中東戦争）での敗北以降も、アジア地域に軍隊を駐留させていたが、その維持費がイギリス経済を圧迫するようになった。1968年、労働党のウィルソン内閣は、1971年までにマレーシア連邦、シンガポールから撤兵することを表明したのである。

当時、イギリス海軍は世界最高峰の実力を備えていた。しかし、築き上げた巨大な帝国を維持するためには、えてして莫大な資金がいるものだ。「植民地からの撤退」という選択は、軍隊の海外駐在という負担をなくすためのものだったが、これにより、かつてアジアを支配したイギリス帝国の残滓は消えてしまった。シンガポールを発つ時、ある海軍将官が「イギリスの支援がなくなればシンガポールは終わりだ」と話した。しかしこれは大きな勘違いだった。

「シンガポールの奇跡」はなぜ可能だったのか

その後、イギリスは、世界を牽引した19世紀の栄華を見る影もないほど破綻し、イギリスの後ろ盾を失ったように見えたシンガポールは一大経済大国になった。いまや、世界的な金融ハブである。

私は、2007年に家族でシンガポールに移住したのだが、この国は面積が約720㎢、人口約600万人の小さな国だ。国内市場だけで得られる経済的成功にはどうしても天井が存在するため、東南アジアにおける人・モノ・金の流れがシンガポールを経由して行われるような施策を展開した。

たとえば、チャンギ空港は世界有数のハブ空港として世界各国に路線を展開しているし、外国人駐在員やその家族が暮らしやすい環境も整備されている。また、英語教育を徹底しているので、ほとんどの国民が英語を話すことができる。

そして、税制の優遇処置によって多国籍企業を積極的に誘致し、知的労働者を中心に移民も積極的に受け入れている。こうした官民を挙げた、国際競争力を高めるための取り組みがあったからこそ、「シンガポールの奇跡」を起こすことができたのだ。

資金難によりシンガポールの地を去ることになったイギリスは、どう考えても敗者だ。この期におよんでも他国より自国が優れていると思いあがってしまったのはなぜだろうか。

イギリスは巨大な帝国を築き、世界中のさまざまな地域に干渉したが、自国経済が停滞し始めると、領土を広げた分、過重負担に悩まされ、結果として債務超過に陥り、破綻の道をたどった。

「世界一裕福な国」だった日本に起きた異変

かつてのイギリスと現在の日本の姿が重なるのはここまで見てきた通りだ。この先、日本がたどる道もイギリスと同様のものになるかもしれない。山積する諸問題に対して、日本政府は有効な策を打てていないと感じられるからだ。

私は1990年に世界一周の旅の途中で日本に立ち寄った。その時驚いたのは、日本はすばらしい観光の地であり、それにふさわしい豊かな文化と伝統を持っていたことだ。

当時の日本は、世界最高のインフラを備えていた。新幹線、地下鉄、何もかもが見事に機能しており「世界一裕福な国」だった。

私はそんな日本を今も愛してやまないので、日本が現状直面している諸問題を乗り越えてくれることを願っている。

イギリス経済は北海油田の開発で復活したが、国内にほとんど資源がない日本において、北海油田に代わる復活の起爆剤になるものは、残念ながら思い浮かばない。出生率を上げる、移民を受け入れる、減税を実施し歳出を減らすという解決策は存在するが、現状、日本ではそれほど積極的には実施されていない。

もし日本人が経済成長をしたい、あるいは、少なくとも現状の生活水準を維持したい、と望むのであれば、今すぐ人口を増やすべきだ。国を開いて移民を受け入れる、増える一方の財政支出を削減する……こうした抜本的解決策に対して真剣に取り組んで初めて、日本は長く続いた停滞期から脱することができる。

栄光は永遠には続かない

一時代を築き、覇権を握っていた国は、いつか必ず衰退の道へ至るものだ。

これは人類史上の必然である。例外は存在しない。

たとえばイギリスが覇権国の座につく前、16～17世紀の時代には、オランダが世界の覇者であった。

スペインから独立したオランダはアムステルダムを中心として、驚くべき経済成長を遂げた。１６０２年に世界初の株式会社、オランダ東インド会社を設立し、香料の産地である東南アジアへ勢力を広げた。それと時を同じくして奴隷貿易にも参入し、全世界に商圏を拡大させたのである。

皆さんは、Dutch uncle（オランダ人の叔父）という表現を耳にしたことがあるだろうか？「教育、激励、あるいは忠告するために、率直なアドバイスをくれる人」という意味だ。

この言葉が生まれた経緯は次の通りだ。オランダは当時、先進国であり、各地に最新の技術と資本をもたらした。文字通り「世界のアドバイザー」だったのである。17世紀初めには、世界の発明の約4分の1がオランダによって生み出されたという。彼らはすばらしい造船技術も有しており、少ない人手であってもたくさんの貨物を運ぶことができる「フライト船」を開発。これを武器として、世界貿易において高い競争力を獲得した。

イギリスは、オランダから造船技術を盛んに取り入れた。そしてついに17世紀後半、イギリスは世界一の海洋国家となり、覇権の座はオランダから移り変わる。軍事力で優位に立ったイギリスは、18世紀半ばに最盛期を迎える。世界的な経済大国となり、通貨ポンドは世界の基軸通貨となった。

しかし、これは遠い昔の話だ。イギリスからその座を継いだアメリカも近年、中国の目覚ましい台頭によって、徐々にその栄誉を失いつつある。

日本も、戦後の一時期「ジャパン・アズ・ナンバーワン」と称えられるほど輝かしい成功を収めた時代がたしかにあった。しかし、情報化社会への適応が遅れたのは痛手だった。1995年以降、急速に進んだインターネットの商業化により、世界中の人々があらゆる情報を手軽かつ安価に入手できるようになり、社会・経済に大いなる革新がもたらされることになった。「IT革命」に乗り遅れ、さらには韓国や中国の台頭を許し、ここ数十年にわたり衰退の道を進んでいる。

「日本ではイノベーションが起こりにくい」という話をよく耳にするが、これは決して日本特有のことではない。一時代を築いた国が衰退する時に普遍的に起こる現象だ。

たとえばアメリカも、かつてはすばらしいテクノロジーとイノベーションが生まれていたが、今は昔ほど盛んではないように感じられる。

オランダも、前述したようにあらゆる分野においてイノベーションが盛んな先進国だった。今、オランダはとても美しい場所ではあるが、かつてのような世界最先端の国ではない。「世界の金融都市は?」と問われて、アムステルダムと答える人はいないはずだ。

時代が移り変わるにつれて、イノベーションの中心地も同時に移り変わる。ひょっとすると、これは私たち人間の「怠け心」によるものかもしれない。

自分で会社を興した人は全力で邁進《まいしん》するが、別の誰かが作った会社を与えられたら、傲慢になり懸命に働かなくなるのはしごく当然の話である。

覇権国アメリカの時代が終焉する

アメリカの次は中国だ

ここまで述べてきたように、覇権地図の塗り替えは人類史上何度も繰り返されてきたことである。

近代以降の歴史だけを見ても、前項で述べたように、16〜17世紀の覇権国はオランダ、その後イギリスが18世紀後半〜19世紀までその座にあった。そして、20世紀の覇権国は、間違いなくアメリカだった。

そして今まさに起こっている覇権争いで、アメリカを追い落とそうとしているのは中国である。

中国は非常に特異な国である。なぜなら、数千年の歴史のなかで4回も世界の覇権を握っているからだ。世界一にのぼりつめ、衰退したのちに改めて覇権を握った国は、中国以外には存在しない。

中国が初めて覇権国になったのは、2200年以上前、秦の始皇帝が中国を支配した時代だ。

2回目は1000年代。当時、宗《そう》の銅の生産量は、19世紀後半から20世紀初頭に世界一だったイギリスの生産量を凌駕していた。

3回目はフビライ・ハンが率いた元の時代である。彼は遊牧諸民族を統一し、中国人になった。

そして4回目は1400年代の明《みん》の時代だ。当時、海洋国家だった中国は、なんとアメリカ大陸も発見していた。しかし当時の皇帝は、「外国人は不要だ」と、国内から外国人を追い出し、船や地図などを燃やしてしまった。非常にもったいない話だ。

このように歴史上4回も覇権国となった中国でさえ、1800年代には深刻な経済危機に陥った。その後、欧州列強や日本による植民地支配を経て、第二次世界大戦以降、徐々に復活の道を歩んで現在に至る。その際、武器になったのが「起業家精神の長い歴史」である。

一般的に、中国人は共産主義者だと思われているが、私はそうは思わない。歴史的に見て、中国人こそが最も優秀な資本主義者であり、そこに鄧小平が訴えかけたことで、中国は世界の産業や技術の最先端を走る国になっていった。

覇権への道にはいくつもの苦難がある

覇権国の座につくまでの道のりでは、何度も困難な状況に見舞われるものだ。アメリカもその途中で、深刻な不況、内戦、暴動など幾度の危機に見舞われた。ご多分に洩れず、中国も同じ状況下にある。

たとえば最近、中国の不動産会社は負債の管理が全くできず、破綻寸前まで追い込まれている。これは、不動産会社大手、恒大《こうだい》集団の経営危機をきっかけとして、金融機関がリスク回避をすべく不動産会社への融資を引き締めたことで、不動産業界全体への資金繰りが急速に悪化したためである。

1996年に創業された同社の抱える負債は、約2兆元（35兆円）とあまりに巨額だ。これは中国のGDPの約2％に相当する規模になる。大半は取引先への買掛金や住宅購入者の前払い金のため、破綻すればその影響は計り知れない。中国政府は、金融システムへの波及はどうにか阻止するだろう。しかし、かつてバブル景気に沸いた中国の不動産業界も、しばらくは「冬の時代」を迎えざるを得ない。

時を同じくして、アリババなど中国を代表するテクノロジー企業が中国政府に調査され、株価が暴落するという現象も起きている。習近平政権にとってアリババは、時に脅威に映るようだ。

このように、今は苦難の道の途上にある中国だが、おそらく次の覇権国になるだろう。なにせ過去4回も覇権の座についた国だ。5回目もありうる。

中国の技術者たちが技術革新を牽引する

私が「これから中国の時代がやってくる」と確信し、初めて投資をしたのは約30年前。バイクで中国を横断した時代のことだ。旅の途中で中国の可能性を肌で感じ、上海証券取引所で中国株を買うことにした。

当時の取引所は傾きかけたビルのなかにあり、その窓口で取引されていた銘柄もほんの一握りだった。この時点では「記念購入」の感が大きかったものの、投資チャンスの到来を身をもって感じていた。

当時の私は、次のように語ったと記憶している。

「いつの日か、私は中国に大きな投資をするだろう。革命前の中国にはアジア最大の株式市場があった。私の予測が正しければ再びそのようになる」

1999年、再び上海を訪れた時に私の確信は強まった。10年前に訪れた時は傾きかけていた取引所が、立派な高層ビルに変わっていたのだ。私はさらにたくさんの中国株を買った。

私がこれほど強い確信を持つことができた理由は大きく2つある。

1つ目は、膨大な人口と資本。人口規模は国力に直結する。いまや中国はアメリカの10倍近い人数のエンジニアを毎年輩出するようになっている。中国の現人口は約14億人で、いうまでもなく世界一だ。IoTやAI活用が必須の時代、この国の勢いをとめられる国は存在しないと感じる。人口数で中国に次ぐインドもあまたのエンジニアを輩出しているが、国内では官僚主義が続き、民族や言語の分断がとても大きいので、覇権国になるとは考えづらい。

2つ目は、優秀な人材を輩出するための技術に力点を置いた教育制度。国家主席を務めた江沢民をはじめとして、中国の省・直轄市などの指導者の多くが元技術者だ。

私が「中国の時代がやってくる」と確信してから約30年もの年月が経ったが、予想は的中し、驚異的な発展を遂げた。かつてこの国は規制が厳しかったので、「ビジネスには向かない」といわれていたが、現在、ＩＴ関連を中心とした民間企業が世界経済を牽引しているのは紛れもない事実だ。

これからのイノベーションの震源地

私が見るかぎり現在、世界で最もイノベーションが盛んな国は中国だ。

戦後の日本は、イギリス製品より低価格・高品質のテレビを販売し始めた。自動車やバイクでも同じ現象が起き、日本は大量生産によって世界のマーケットシェアを勝ち取った。現在の日本には、世界で圧倒的なプレゼンスを持つ企業は存在するだろうか？　戦後の日本企業は本当にすごかった。何を作っても圧倒的なクオリティでとても安かった。

当時、日本企業がどれほど低価格・高品質のものづくりに長けていたかを説明する際、私はよくこのエピソードを話すのだが、世界最大のアルミニウム製品およびアルミナ（アルミニウムの原料）メーカーのアルコア（当時の社名はアメリカ・アルミナム）というアメリカ企業がある。

これは1950年代のエピソードだが、同社のCEOが日本から持ち帰ったアルミロールを見て、従業員たちは驚いた。驚くほど高品質だったからだ。「きっと、特別な目的のためにつくられたものに違いない」と彼らは思った。しかし、それは何の変哲もない「普通」の日本産アルミロールにすぎなかった。当時の「日本人の普通」は「アメリカの最高品質」だったのだ。

しかし、今の日本企業には当時のような勢いは感じられない。昨今、世界から注目を集めているブロックチェーンやAIの分野にも、残念ながら日本企業をほとんど見ることができない。

日本と中国はなぜここまで差が開いてしまったのか。「現場労働者の能力、先端産業技術など、あらゆる点で中国が日本を上回っている」という意見もあるが、私はその原因ははっきりしていると思う。日本は過去に成功を収めた国だからだ。

自国が世界のトップに立つと、自然と国民は傲慢になってしまうものだ。加えて、トップに立つということは2位以下のすべての存在から追われるようになることも意味する。日本がトップに立った瞬間、中国、ベトナム、タイ、インドなどの国が日本より安く製造し始めた。そうしているうちに、品質も日本と同等になってきたのかもしれない。結果として、他国との産業格差が次第に縮まり、ついには追い抜かれることになった。これが私の見立てだ。

さらに、教育の問題もある。日本では文系と理系を早期に分ける教育が行われている。早期に分かれていたら、後から違うことが学びたくなっても思うようにできず、この時点で大きな後れをとってしまう。

また、飛行機を発明したライト兄弟ももともとは自転車整備士だったし、Microsoftを創業したビル・ゲイツも大学を中退したにもかかわらず世界を制覇するほどのコンピューターソフトを開発したように、イノベーションを起こす人材は思いもよらぬ分野から発想するものだが、こうした「斜め上の発想力」を育てる教育を、日本の学校では行っているだろうか？

このようなシステムがあるのに、かつての日本は経済的に成功を収めたという事実があることに驚く。従来のやり方で大きな成功を収めた経験があると、そのやり方を大きく変えるのに勇気がいる。ここに日本の難しさがある。

米中衝突リスクに日本はどう備えるか

アメリカによる中国の封じ込めに同調する必要はない

中国がアメリカから覇権国の座を奪うタイミングはいつになるだろうか。

私は、将来的に起こるであろう「私の人生で最大のベア相場（資産価格が下落する金融市場のトレンド）」がそのタイミングだと予測している。ベア相場でアメリカ経済が崩壊する様を見て、世界は中国が覇権国になったという確信を得るだろう。

私自身、投資家として「ブル相場（資産価格が上昇する金融市場のトレンド）」ではなく、「ベア相場」を追いかけ、そのなかで将来性が感じられるものを買うことをいつも心がけてきた。おそらく5年以内に到来するだろう。

ベア相場は歴史上、何度も起こってきた。これからも必ず起こる。戦争・疫病・金融引き締め政策・大企業の破綻などがきっかけになることもあるが、基本的には株価が上昇しすぎて、それ以上上がらなくなったタイミングで起こるものだ。将来的に起こる「私の人生で最大のベア相場」は、おそらく長期間にわたるブル相場で株価が上昇しすぎたことが要因となるだろう。

今、世界中の株式市場において、一部ではバブルも発生している。そうしたなか、記録的なインフレを抑制すべく、中央銀行が金融引き締めに動いているため金利が上昇し、ベア相場を誘発しやすい。ベア相場に入ると、景気が後退するリスクが高まる。次のベア相場では、中国の下落がアメリカより遥かに小さくなるだろうと私は見ている。

米中戦争は起きるのか

ベア相場以外に、中国がアメリカに取って代わる可能性があるのは、米中戦争だ。アメリカは世界最強の軍隊を有しているので、戦争には勝つかもしれない。しかし、仮にアメリカが勝利を収めたとしても、その後の繁栄が約束されるわけではない。

前述したように、イギリスも第二次世界大戦で戦勝国になった後に衰退した。アメリカも、こうした危機感を覚えているからこそ必死だ。

アメリカのGAFAとも比較されがちな巨大テック企業、アリババ・ファーウェイ・テンセントなどを輩出してきた中国に対して、アメリカはしばしば政治的手段を講じて市場から追い出そうとしてきた。

たとえば、Appleはアメリカ政府に「ファーウェイはスパイだ」と言って、市場から追い出そうとした。しかし中国に対して、決定的な打撃は与えられていない。

もし仮に、「最も手ごわい競争相手」と認めてアメリカが中国の封じ込め策を試みたとしても、日本は無視を決め込むべきだと思う。なぜなら、歴史上このような封じ込め策が成功した例は見られないからだ。アメリカの試みはおそらく失敗するだろう。

69ページで述べたようにかつての覇権国オランダも、造船技術をオランダから取り入れたイギリスを封じ込めようとしたが失敗に終わり、イギリスがオランダに取って代わった。同様に、イギリスは精密機械のマニュアルなどをアメリカに渡さず、封じ込めを試みたが、結局うまくいかなかった。

日本は、失敗に終わる可能性の高いこの試みに加わらないほうがいい。「われわれは中国と貿易をする必要があるので、封じ込め策には加担しない」と訴えるべきだ。

「不要な戦争」に参加してはいけない

ロシアのウクライナ侵攻以降、北朝鮮も韓国や日本、アメリカを意識した攻撃的な姿勢をとり続けている。中国と日本との関係も相変わらずだ。このように日本はロシア、中国、北朝鮮、韓国といった「何をしてくるか予測できない国」に囲まれているが、今後これらの国々との関係性がどうなっていくかは、すべて日本側の出方次第だろう。

たとえば今、台湾をめぐって米中戦争勃発のリスクが高まっているが、日本が戦争に巻き込まれた場合、自衛隊が参戦する可能性は高い。これはどの国にもいえることだが、「不要な戦争」に参加して、良いことは絶対にない。たとえ勝っても莫大な資金・専門知識・人命を失う。負けた場合はいうにおよばない。結局のところ、戦争に「真の勝者」は存在しないのだ。

「自ら戦争を起こすことをしない」としている日本は、地政学的なリスクはあるにせよ、「中立的立場」をとり、他国同士が戦争に突入しても参戦しない道を選ぶこともできるはずだ。

そのやり方が奏功している国も存在する。永世中立国、スイスが典型例だ。スイスは稀にしか戦争に参加しないが、その方針によって平和を持続できている。日本が参考にできる点は多いはずだ。

日本が戦争に巻き込まれることを回避するためには、「わが国は中立的な立場である。憲法上、戦争参加が禁じられており、軍隊も存在しない」と表明することだ。しかし、日本の政治家にその考え方はない。彼らは決まって、「皆が戦うのであれば、われわれも戦わなければいけない」と言う。

現状のやり方を変えなければ、関係の深い国が戦争を始めた場合、たとえ自国が攻撃を受けていなくても戦争に巻き込まれることは避けられない。日本と同様、アメリカと同盟を結んでいる韓国も同じ課題に直面している。

現在、韓国には約3万人のアメリカ軍が常駐しているが、もし米中間で台湾有事が勃発すれば、瞬く間に韓国は戦争に参加させられることになる。その戦争は韓国を破滅に導くだろう。日本も韓国も、米中戦争に参加するメリットは存在しない。

アメリカの国民は、「仮にアメリカが中国と戦争を始めても勝てない」と感じているのに、無理やり戦争に参加させられた日本が「勝つ」ことはないだろう。

それに、ただでさえ日本社会では人口減が進んでいるのに、戦争で次世代の若者たちが亡くなるなんてとんでもない話だ。そして戦争では借金が増え、すでに債務超過状態にある日本は壊滅的な打撃を受けるだろう。

それでもアメリカは戦争をやりたがる

とはいえ、米中戦争に歯止めをかけることは難しい。歴史上、最盛期を過ぎた覇権国と次期覇権国が対峙した場合、非常に高い確率で戦争が勃発するからだ。アメリカの政治学者、グレアム・アリソン氏は、このことを「トゥキュディデスの罠」と言った。

この言葉は、新興勢力が台頭し既存勢力の不安が増すと、しばしば戦争が起こるということを意味しており、ペロポネソス戦争を引き起こしたのは新興国アテネに対するスパルタの恐怖心であった、という古代ギリシャの歴史家トゥキュディデスの分析に由来している。

往々にして、戦争はささいな理由から始まるが、すでに米中間には敵対意識が芽生えている。だから、すでに米中戦争は始まっているといっても過言ではない。


実際のところ、米中の関係は年々悪化している。ワシントンは何度も中国に対して侮辱的な態度を取ってきた。

台湾をめぐって米中戦争が勃発した場合、おおかたの予想通りアメリカの勝算は低いだろう。地図を見れば中国の優位性が一目瞭然だ。本土から遠く離れたアジアでは、アメリカが対中国の戦争に勝つことは難しい。しかし、それでもアメリカは戦争をしたがるだろう。

アメリカは、１７７６年に独立してからというもの、今まで一時期を除いて常に戦争に参加していた。戦争というのは第二次世界大戦のような世界規模のものばかりとは限らない。かつてはアメリカ先住民と頻繁に戦っていたし、第二次世界大戦以降も朝鮮戦争やベトナム戦争、湾岸戦争やアフガニスタン紛争のほか、中東やアフリカでの紛争に頻繁に兵士を送り込んでいる。むしろアメリカは、戦争することを好んでいるようにすら感じられる。


アメリカは中国のみならず、ロシアに対しても非常に厳しい態度をとっているが、日本はロシアや中国とも外交を続けている。たとえば、サハリン２などの事業も継続させており、多くの日本企業はロシアにとどまっている。誤解を恐れずにいえば、私はロシアや中国と外交関係を続けている日本を称賛する。

なぜなら、どのような状況にあっても――たとえ、それが罵り合いであっても――対話さえ続けていれば、お互いの意見を伝え合うことができる。両者の間で全く対話がなければ、問題は悪化していく一方だ。

サプライチェーンの脱・中国化が進む世界

脱・中国、日本回帰は可能か

近年、世界各国によるサプライチェーンの脱・中国を目指す動きがだんだんと生まれているが、コロナ禍やロシアのウクライナ侵攻がその動きを加速させている。こうしたサプライチェーンの「脱・中国化」は、さまざまな国にチャンスをもたらす。もちろん日本にもだ。

ただし、各国がこのチャンスを生かして成功できるか否かは、「需要があるモノをつくれること」と「それが高い競争力を備えていること」が鍵を握る。

第1章でも述べたように、近年の日本は「高コスト国」になりつつある。その背景には「かつての成功」がある。高度経済成長期と呼ばれる戦後の約30年間、日本は経済的に成功を収めたが、やがてほころびが生じてその座から転落し、衰退の道をたどった。過去の成功と現在の挫折の差分が大きいため、日本でビジネスをするには非常にコストがかかるようになってしまった。

このようななか、近年の円安傾向は歓迎されるものの、はたしてコストが抑えられるのか。今後の展開に注目している。

これから20年、注目すべきビジネスは半導体

コロナがもたらした大きな災難の一つに、世界的な半導体の不足がある。半導体の工場は台湾に集中しているが、台湾は中国との関係でリスクがあり、大いに懸念されている。

日本は約30年前、世界の半導体市場において実に50％のシェアを握り、他国に大きく差をつけていた。そしてあまりにも市場で強すぎたがゆえに、脅威を感じたアメリカとの間で摩擦が生じた。プラザ合意に端を発する円高、日本にメリットの少ない日米半導体協定などにより、日本の半導体産業は力を失い、世界シェアは10％以下にまで下がった。中国、韓国、台湾、アメリカが半導体産業を国家的に支援するなか、日本は後れをとっている。このような状況から脱するべく、日本政府は2021年に「半導体戦略」を発表し、半導体開発および生産拠点の誘致などに注力。新しい工場の整備および設備強化に補助金をあてるなど、積極的な取り組みを続けている。

私は、半導体が向こう20年の注目すべきビジネスだと想定しているが、これからの日本にはチャンスがあるかもしれない。

世界は常に変化を続けている。チャンスをつかみたいのであれば、安く、競争力が高く、時代に即したテクノロジーが必要不可欠だ。

日・中・韓、どう付き合うか

アジアの国同士、手を携えよ

日本の将来を考えるなら、中国や韓国とうまくやっていくことが重要だ。しかし残念ながら、日本はこの両国を警戒しており、円満な関係とはいいがたい。これからもさまざまな争いごとが起こるだろう。私は「どうして君たちはそんなに仲が悪いのか」と問いかけたい。なぜ同じアジアの国同士、一緒に力を合わせて世界を変えようとしないのだろうか。

政治家は、自国がうまくいっていない時には必ず他国を責めるものだ。今の日・中・韓の関係性には、それが表れているのかもしれない。

89ページでも述べたように、近い将来、米中戦争の勃発は避けられないと私は考えているが、そのような状況に陥った場合、たとえ中国が戦争に負けたとしても、中国と友好関係にない日本は成功しない側にいる可能性が高い。

悲惨な状況を回避したいのであれば、中国や韓国との争いをやめることが先決だ。アメリカとの関係を重んじる日本にとって難しい選択かもしれないが、もし私が日本人だったら、両国とはできるかぎりパートナーシップを組んでいきたい。

中国ではEV車のタイアップなどさまざまなビジネスチャンスがある。日本がイノベーションに自信がなければ、中国製品をコピーして販売するという道もある。日本は、すでにあるものを改良して、低価格・高品質を実現することには長けている。戦後の驚異的な経済成長は、そのようにして達成された。

すでに述べたように、かつてイギリスはオランダから、アメリカはイギリスから、そして現代の中国はアメリカから最先端技術を取り入れて発展してきた。勢いのある国が持つ技術をうまく盗んで改良できる国には、成功が約束されているということである。

かつて日本は、アメリカやヨーロッパの企業がつくる製品を「より良く、より安く」コピーすることで成功を収めた。これは中国にもいえることだが、今後、日本は中国や韓国の企業から学べばいい。

いまだに中国や韓国を下に見る日本に、はたしてそれができるかどうかは別として、日本のコピー技術は世界最高レベルと断言できる。

国の覇権だけでなく、実業界においてもトップは常に入れ替わるものだ。

19世紀には世界の主要工業製品の半分を製造していたイギリスだったが、そこから他国の追い上げにあい、イギリス製品は市場で淘汰されていった。

日本も、1960年代以降しばらくの間はすばらしいクオリティの製品を製造していたが、それは今から約60年前の話で、その後は状況が一変し、現在は製造業のトップは中国ということだ。

日本は韓国に学べ

これまで見てきたように、中国の時代が到来することは明らかだ。そうしたなかで、日本と中国双方の隣国である韓国に注目すべきだと私は考えている。

韓国は現在、日本と似た問題を抱えている。出生率が低く、公務員になりたがる子どもが多い。

しかし朝鮮半島統一が実現すれば、こうした韓国の問題は軽減されるだろう。そして韓国は投資する価値の高い国になる。北朝鮮には若い女性が多く、出産にも積極的だ。

日本や韓国と違って、北朝鮮では出産や育児に対する意識は昔と比べてもそれほど変化がない。38度線崩壊を契機に北朝鮮から女性が流入する韓国は、少子化に直面する先進諸国と異なり、状況が改善する可能性が高い。

一方、中国や日本は、少子化問題の解決につながる好材料を持っていない。中国では最近、改善されつつあり、夫婦1組につき3人までの出産を認める育児制限緩和策を開始したが、1979〜2014年に行われた「一人っ子政策（都市部を中心として実施された、夫婦1組あたりの子どもの数を1人とする人口抑制策。かつての中国は貧しく、将来の人口増による食料不足への懸念から実施された）」の悪影響が残っている。日本は、中国が直面している少子化に加え、高齢化という課題を抱えている。

なお、少子高齢化と切っても切り離せないもう一つの懸念材料は、増え続ける医療費だ。日本の医療費は年間1兆円ずつ増大しており、2040年には67兆円になるという予測もあるほどだ。

他方、シンガポールは健康保険料を2〜3割上げたが、シンガポールのような独裁体制が敷かれていない日本では、ここまで思い切った策を選ぶことはできないだろう。日本は借金をして次の世代に先送りするか、それともシンガポールのように痛い思いをして将来的に国を繁栄させる道を選ぶかだが、どちらがいいかと聞かれれば、後者のほうが長期的観点ではいい、と私は答える。

38度線が開き、韓国にビッグチャンスが到来する

このような状況下において、38度線が開けば韓国にとてつもないチャンスが到来するだろう。

最近の様子から「北朝鮮は閉ざされた」と見る人もいるが、変革が訪れるまでの時間が若干遅延するだけのことだ。南北統一を実現するためにはさまざまなハードルがあることは事実だが、この点は両国に軍事費削減の余地があるし、他国からの出資もかなりの額を望むことができる。

現在、北朝鮮の人口は約2500万人。天然資源が豊富であることに加えて、国民は皆勤勉で人件費が安い。韓国がいろいろな産業のノウハウを北朝鮮に教えるこ

とができるだろう。

ネックとなるのはアメリカの存在だが、韓国に多くの軍隊を駐留させておくよりは、段階的な経済開放のほうが現実的だ。

もし経済開放が実現すれば、韓国と北朝鮮へ訪れる観光客の数も劇的に増えるだろう。韓国と北朝鮮が統一されると、外国から投資を呼び込めるだけでなく、国内の投資も活発になる。

38度線が開く時は、1990年における東西ドイツ統一の時と同じような大きなサプライズになるはずだ。

ヴィリー・ブラントという旧西ドイツの元首相がドイツのテレビ・インタビューで「ドイツの統一は私が生きているうちには実現しないだろう」と言った。しかし同年11月、ベルリンの壁は崩壊した。皆さんも同じように、現時点では38度線が開くことは想像できないだろう。しかし「変化」とは、このように急にやってくるものだ。

なお、そのほかで最近、私が注目している国はウズベキスタンだ。

ウズベキスタンは中央アジアにある旧ソ連の国で、ソ連崩壊後に独裁者が国をさらに悪化させたが、今は別のリーダーに交代した。

金・ウラン・天然ガス・原油などといった天然資源が豊富なので、私は前途を期待し、この国へ投資を始めた。もしかすると、この国は将来「アジアの虎」になるかもしれない。

「二流国」は台頭してきた別の国から学んだり、手を携えたりしてチャンスをうかがうことが大切だ。「一流国」が永遠に続かないのと同様、「二流国」も永遠に続くものではないからである。日本も、このことを肝に銘じてほしい。

第3章

日本政府はもう、頼りにできない

変化を嫌う政府は国を滅ぼす

今こそ大変化が必要だ

私はここまで、日本で始まった恐ろしいシナリオと、戦後、一流国の座にあった日本が二流国へと転落し衰退の道を歩んだ理由を論じてきた。本章では、世界中から見捨てられ始めたこの国が抱える問題について論じていく。

もし日本にこのまま大きな変化が起きなければ、近い将来、日本は世界の覇権地図から姿を消してしまうだろう。これは60ページで述べた「英国病」ならぬ、「日本病」とも呼ぶべき事態だ。

「失われた30年」と呼ばれる日本経済の長期的停滞の原因については、あまたの専門家たちが答えを探している。私の答えはこうだ。「過去の成功は自己満足につながり、国の停滞を招く」

かつて、1980年代においては、日本人は世界中の国々から浮世離れした存在として高く評価されていた。そのころの日本を評して、「エコノミック・アニマル」と言われるが、私はあえて、「エコノミック・スーパーパワー」と表現したい。

それから約40年後の今、かつての栄光が見る影もなくなった日本は、先進国のなかで最下位を争っている。そして、残念ながら日本はこのレースでビリになってしまいそうだ。

今の日本はまた、ハロルド・ウィルソン（労働党党首。1964年に首相に就任）政権下のイギリスと重なる。当時、イギリスでは閣議でイギリス復興のための方策について議論が行われた。「イギリスの競争力を上げるためには、半導体・テクノロジー産業に参入すべきだ」と述べた政治家がいたものの、労働党はこれを許さなかった。その理由はこうだ。「ほんの一部の人たちだけが巨大な富を築くことは、われわれの哲学に反している」

イギリス政府は、一部の人が巨大な富を築くよりも国が滅びる道を選ぶほうがマシだ、と考えたのである。

金融界の激変に乗り遅れる日本

過去の大成功に酔い、時代の変化への対応を怠り急速に衰えているのは、日本という国だけではなく銀行も同様だ。銀行がかつてよりも力を失いつつあるというのは世界中で見られる現象でもある。

たとえば、今から70～80年前、世界で最も力を持っていたのはイギリスの銀行だ。その後、世界金融の中心はアメリカへと移ったが、現代はどうだろうか？　明らかに状況は様変わりしており、銀行の店舗に足を運ぶ人は減少傾向にある。すべての手続きをネット上で完結させる人もいるし、紙の通帳はもはや過去の遺物になり始めている。アメリカでは銀行口座を持たない若者が増加している。今の子どもたちが成人を迎えるころには、銀行の店舗に足を運ぶことはなくなるだろう。なお、アメリカには1万社近い銀行が存在するが、そこまでたくさんの銀行は必要ない。いずれ大半が消滅するだろう。

インターネットバンクが誕生したのは1990年代のことだが、ブロックチェーンテクノロジーの進化により、デジタル銀行の影響力は今後ますます高まっていくだろう。

新しいテクノロジーの誕生と時を同じくして、昔のテクノロジーに頼っていた旧型の企業が淘汰されていくのは世の常だ。銀行も同様で、デジタル銀行のような新興企業が主力を担い、旧来のメガバンクなどは脇に追いやられる。すでにその余波は広がっており、時代の変化に抗うのはとても難しい。変化に対応できない企業は業績を落とし、消え去っていく。

このことは、ＲＣＡ（Radio Corporation of America）という会社の栄枯盛衰を見れば明らかだ。

ＲＣＡは、20世紀初頭にＧＥ社のオーウェン・Ｄ・ヤングが設立したメディア企業で、当初は全米各地にあるラジオ会社の大半を傘下に収めていた。加えて、ＲＣＡレコードやＮＢＣなどのメディア事業を推進し、ロックフェラー・センターにＲＣＡビルを落成。１９７０年代には投資銀行のラザードを使い、ハーツレンタカーなど本業との関連が薄い企業もＭ＆Ａで保有していた。

このように、同社は当時の最新テクノロジーだったラジオとテレビを独占していた。しかし、いまやこの会社は存在しない。かつて一時代を築いた大企業であっても、時代とともに淘汰され、永遠には存在しえないということがよくわかるだろう。

新時代がもたらす変化の大波は、「通貨」にも到来している。

昨今、フィアットエコノミー（従来のような法定通貨によって形成される経済圏）

からクリプトエコノミー（仮想通貨などの暗号資産によって形成される経済圏）への人口移動が加速している。このままいけば、いずれすべての通貨はクリプトになるだろう。クリプトは印刷費がかからず、誰が何のためにお金を使っているかを把握することができる点が、これまでの法定通貨にはないメリットといえる。

実際、中国ではすでにそうなり始めていて、中国人民銀行が発行する法定デジタル通貨のデジタル人民元が実際の通貨と同様に使われている。中国国内では、現金でタクシーに乗る人は少ない。このことからも、いかに中国がクリプト先進国であるかがわかるだろう。

今も残る「アベノミクス」の傷痕

世界中でこれほど大きな変化の波が訪れているにもかかわらず、日本政府の動きはどこか緩慢だ。

日銀が推し進めてきたプランは、もちろん黒田氏の独断によって行われてきたものではない。近年の「異次元の金融緩和」はもとをただせば、第二次安倍内閣の発足時に掲げられた経済政策、アベノミクスの「三本の矢」のうちの一つとして行われたものだ。

アベノミクス第一の矢である金融緩和は、一定期間は日本の株価を押し上げたものの、円安に誘導した。

第二の矢である財政政策も、ひどいものだった。

私は、日本を破壊する宣言のように感じた。先進国で最も深刻なレベルの財政赤字を抱えているなか、無駄な事業に公費を使うのは正気の沙汰ではない。

そして最も大きな問題は、肝心の三本目の矢にあたる「新しいビジネスの創造」が十分に行われなかったことだ。

結果として、新たな人材や企業が芽を出したり成長したりすることができず、日本国内にアメリカや中国のような優れたベンチャーが育つことはなかった。

若くて能力のある人材や外国人よりも、これまでの日本経済を担ってきた古い人材を守ったことで、日本は活力を取り戻すどころか、かえって経済が後退し貧しくなっていった。


アベノミクスから数年経過した今の日本の状況は、残念ながら悪化の一途をたどっていると言わざるを得ない。「アベノミクスは日本経済を救う解決策だ」と言う人もいるが、結果的には経済をさらに悪化させた。

アベノミクスの金融緩和は恐るべき規模で実施され、日銀は日本の国債を買うという前代未聞の金融政策をとっている。「指し値オペ（公開市場操作）」も導入したが、これらはいわば紙幣を無限に刷っていることに等しい。こうした政策によって日本の株価を押し上げるとともに、円安に誘導した。日本企業が息を吹き返したように語られがちだが、こうした通貨切り下げ策が中長期的に一国の経済を成長させたことは、歴史上一度もない。

かつてアメリカも日本との競争に勝とうとして、紙幣を大量に刷る政策を実行したことがある。「ドルの価値を下げれば生産価格が抑えられ、自動車などがもっと売れる」という誤った思い込みから生まれた政策だった。

簡単な足し算と引き算ができる人であれば、誰でも日本の未来を予測することができる。試しに、人口や借金がどのように変動していくか、統計データから確認してほしい。きっと、誰もが前向きな気持ちではいられなくなるはずだ。

すべての日本人が日本の衰退を実感するのは、もう少し先になるだろう。

そのころには、アベノミクスを支持した人はこの世にはいない。そして、そのツケを払うのは次世代を担う若者たちなのだ。

過去の過ちを認めず、政策を転換しない

これほどの間違いを続けたにもかかわらず、安倍政権に続いて発足した菅政権や

岸田政権は、アベノミクスから方針を転換するどころか、政策にそれほど大きな変化が見られない。

現在、岸田政権は「成長と分配の好循環」と「コロナ後の新しい社会の開拓」をコンセプトとした「新しい資本主義」という目標を掲げている。

これは、「新しい資本主義」の実現により経済を立て直し、新たな成長軌道に乗せていくため、必要不可欠な財政出動や税制改正を中長期的観点から機動的に行う経済政策である。

その実現へ向けて、人への投資、科学技術・イノベーションへの投資、スタートアップへの投資、GXおよびDXへの投資の4本柱を重点化する、としている。

しかしこの政策は、高度成長期のような「所得倍増」ではなく、「資産所得倍増」と、「投資」を勧めているだけだ。そこから新たな活力のある企業が生まれるとは考えにくい。

こうした取り組みは、世界中のあらゆる政治家がこれまで行ってきたことと大差はない。

歴史上、政治家は曖昧な目標を掲げて、「現状を打破し、より豊かな未来を実現する」「次の大きな産業を生んで、今の子どもたちを教育して彼らがリーダーになれるように育てる」と何度も同じような発言をしてきた。

どれほど立派なスローガンを掲げても、いかに実行していくかという計画が示され、実現されなければ全く意味がない。

「インターネット、テクノロジー産業を牽引する国になる」と口で言うのは簡単だ。しかしこれを実現するには、非常に大きな困難がともなう。

リーダーシップを育む教育に関しても同様で、目標を掲げるだけならたやすい。しかし、学ぶ意欲やインスピレーションが生まれる環境が整っていなければ、子どもたちは積極的にならないだろう。

戦後、日本は飛躍的な成長を遂げた。当時の政治家は「自分の手柄だ」と言ったかもしれない。しかしこれは国民のおかげだったと私は思う。

政治家の手腕でもたらされた成功であれば、いろいろな国が日本のやり方をまねして同じようにうまくいったはずだ。しかし、そのようにはならなかった。日本国民の努力と、特殊な環境があったからこそ、日本は成功できたのである。

ますます深刻化する上級国民と下級国民の分断

格差を放置する政府

近ごろは、「上級国民」「下級国民」という言葉が日本で取り沙汰されているようだが、上級と下級の分断は、世界中で普遍的に見られる現象だ。

日本の例でいうと、江戸時代の上級国民と下級国民の分断はすさまじかった。当時の下級国民の暮らしは本当に悲惨なものだった。

これはインドや中国などの国でも同様だ。人間が社会を形成するうえでは、階級の分断はごく自然なことなのだろう。

現代においては、世界中でこうした分断が顕著に表れている。日本では、経済の衰退にともない、貧富の格差がより拡大する可能性がある。

日本人の給料はなぜ、いつまでも上がらないのか

過去数十年にわたって賃金が上がらなかったことも、日本における貧富の差の拡大に影響を与えている。現在、世界的に物価の上昇が続いているが、海外では物価とともに賃金も上がる場合が多い。しかし、日本では物価が上がっても、賃金は上がっていない。

値上げせざるを得ない企業は、それを外国のせいにするだろう。食料やエネルギ

図4　平均給与（実質）の推移

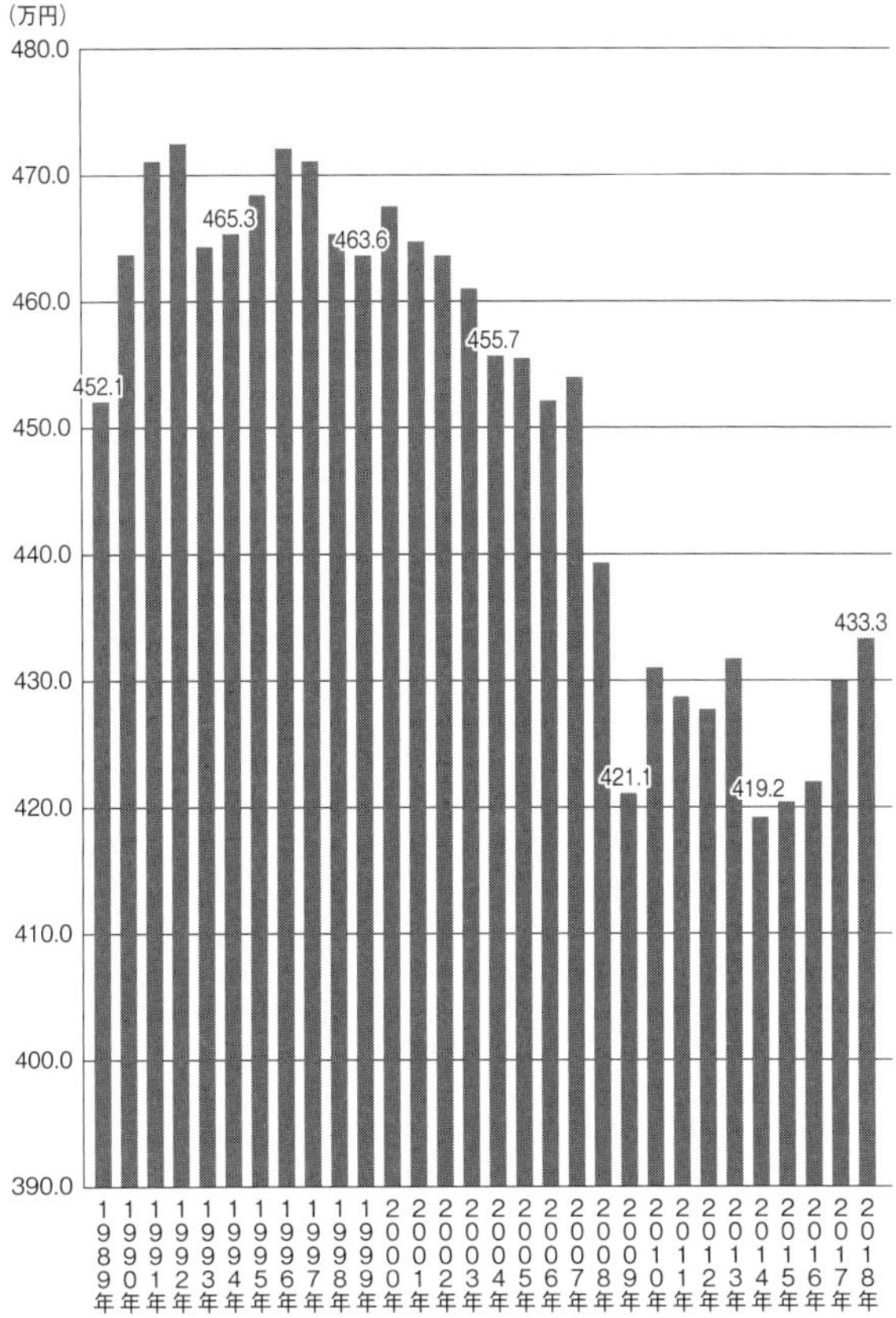

出典：厚生労働省ホームページより引用

ーは海外の価格に非常に影響されやすい。たとえばシカゴで銅の価格が上がれば、東京を含めた世界各地でも上昇する。

しかし、賃金は違う。日本はアメリカやシンガポールに比べ、移民の受け入れに対して消極的な国だ。海外の優れた人材を迎え入れるために高額な給与を支払う、という慣習もあまりないため、企業は賃金を上げなくても問題視されない。

また、日本には外資系企業で働く人や海外企業に転職する人もそれほど多くはない。国内だけで転職を完結することが一般的だ。このように人材の流動性が低く、企業側もそれを理解している。日本はこうした状況を変えていく必要がある。

賃金の上昇を促すためには、移民を増やし、貿易が活発に行われるよう努め、日本を今よりも外へ向けて開放する必要がある。ビザ、外国人雇用、貿易制限に関するすべての規制を撤廃することだ。

このような手を打ったとしてもすぐに国民の賃金が上がるわけではないが、優秀な人材を外国から呼び込むことができれば、高齢化がもたらす打撃を緩和させることもできるし、外からもたらされるすばらしいアイデアによって「変化」が進み、イノベーションが起こりやすい土壌がつくられていくだろう。

日本企業が儲かり経済が豊かになれば、国民の生活も豊かになる。

また、外国から低賃金労働者の受け入れをすれば生活コストも抑えられるだろう。たとえ給料が劇的に上がらなかったとしても、生活コストが下がれば人々は豊かに生活できる。このように、日本は「国の開放」によりあらゆるメリットを享受できるのである。

とはいえ覇権国の座にあったアメリカでさえ、過去10年の平均昇給率はかなりの低水準で推移しているので、日本の現状はそれほど衝撃的なものではない。日本の平均賃金が韓国を下回ったという点には驚くが、これは韓国が中国と貿易を始めたことに起因しているかもしれない。

もはや、海外のほうが成功できる

いずれにしても、これほどまでに賃金が伸び悩んだとなると、安い賃金を武器に、日本人が海外へ出稼ぎに行くことも十分考えられる。

ただし、どの国に出稼ぎしてもいいということではない。慎重に検討を重ねるべきだ。たとえば、ベトナムや中国はいいと思う。また、ロシア、とくにウラジオストクは面白い場所だ。ただ、有事の際にウラジオストクの港は軍事上重要な拠点になるので、ビジネスを行ううえで危険をともなう可能性はある。

これから若い世代の日本人が国内で成功するのは、ハードルがどんどん高くなるだろう。外に出ていくほうが早いかもしれない。

国が個人から資産を奪い、借金を返す

オリンピックも万博も、起爆剤にはならない

日本政府は、前項で述べた通り「個人が外に出ていく」方策ではなく、「外から来てもらう」方策で景気を上向かせようと、２０２０年の東京オリンピック・パラリンピック、２０２５年の大阪・関西万博、そして万博後のカジノ開発などを立て続けに計画した。

東京オリンピック・パラリンピックは、運悪く世界的なコロナ禍と重なってしま

い、この国の経済に打撃を与える格好となった。しかし、それは「コロナ禍」によって有人での開催ができなくなったことに起因するものではない。

「オリンピック開催国の経済が潤う」というのはよくいわれる話だが、その通りになった事例は過去に一つたりとも存在しない。

たいていの場合、このようなことをいうのは、政治家・観光業・接客業などのように、国民と観光客にお金を落としてもらいたい人たちだ。


日本は、1964年にもオリンピックの開催国（開催地は東京）になった。

オリンピック開催によって、この国に高度経済成長期が到来したわけではないのだが、ちょうどこの時期、日本には高速道路が誕生し、新幹線も開通した。真新しいスタジアムも誕生し、街もきれいになった。これらの事業に携わった人々は、一定の恩恵を受けることができたし、政治家もこのようなポジティブな成果を誇らしげに口にする。

しかし1965年、日本の株式市場は大暴落した。「証券不況」と呼ばれる景気後退である。株価下落のあおりを受けた当時の大手証券会社、山一證券で発生した取り付け騒ぎ（預金者が金融機関・金融制度などに対して不信感を抱き、預金や掛け金を取り返すべく、金融機関の店頭へ押しかけること）は経営危機に追い打ちをかけた。

オリンピックが国の経済を活性化するというのであれば、なぜその1年後に企業の破綻が相次いだのだろうか？　むしろ開催国は、オリンピック以後、景気の後退や巨額の債務問題に頭を抱えることが多いものなのだ。

そもそも、オリンピックを開催すること自体に膨大な資金がかかる。

そしてオリンピックは基本的に「一度かぎり」のイベントだ。たとえば、オリンピックスタジアム建設はすばらしいビジネスだが、建設が終われば新しい案件はない。産業全体の活性化にはつながらないのだ。

ましてや今の日本は、１０００兆円を超える巨額の債務を抱えている。オリンピック開催によって日本の借金はさらに膨らむことになってしまった。こうした弊害で日本経済は不利益を被っただけである。

競争力のあるビジネスが育たない土壌

それにもかかわらず日本は、2030年に札幌で冬季オリンピック・パラリンピックを開催しようとしている。

2025年の開催を控える大阪・関西万博も、東京オリンピックと同様に無駄遣いとバラマキに終わるだろう。万博で経済が上向いた国が存在するだろうか？　私には思い浮かばない。

かつて、1970年の大阪万博にはたくさんの人が訪れ、日本の科学技術や経済発展を世界に知らしめるうえでそれなりの役割を果たしたが、それは当時の日本に勢いがあったから可能だったことであり、万博を開いたから日本が豊かになったというわけではない。

今この国に必要なことは、オリンピックや万博のような一時しのぎの取り組みを推進することではなく、紙幣を大量に刷って円の価値を下げることでもない。競争力のあるビジネスを育てることだ。

第4章

国を頼れない時代の人生戦略

海外に活路を見いだす日本人

「頭脳流出」の深刻化

政府と中央銀行は、国民には犠牲を強いるが、自分自身は積極的にリスクを負おうとしないものだ。

政権交代くらいではこの国は変わらない。明治維新や敗戦のように、国のシステムを根底から覆すような衝撃がなければ、状況に大きな変化は起こらないだろう。

しかしこのような構造的衰退国家である日本においても、まだ希望は残されている。国に寄りかからず、国民ひとりひとりが賢く自分自身を守りながら、充実した人生を過ごすことは可能だ。新しい時代へ向けて、個人がどのように備えていくべきかを本章では論じたい。

産業を支える現役世代にとって、はたして日本は仕事をしやすい国といえるだろうか？　残念ながら、「イエス」とは言いにくいのが実情である。

たとえば、金融機関も積極的にスタートアップを応援しようとはしていないし、ベンチャーキャピタルが発達しているわけでもない。アメリカはベンチャーキャピタル発祥の地だが、実に日本の34倍もの資金がベンチャーキャピタルにより自国のスタートアップに投資されている（２０１８年）。

起業家へ出資するエンジェル投資家も、日本にはあまり見当たらない。

私が住んでいるシンガポールでは、政府および教育機関によって自国の起業家を援助するエコシステムがかたちづくられている。同時に政府は、企業とスタートアップの協業も推進している。このような仕組みは、残念ながら日本にはない。むしろ、国内にいろいろな規制が存在する。

こうした状況のなか、新しいアイデアを武器に挑戦する若い起業家は、規制に守られてきた古い世代との競争を余儀なくされる。

これでは、「ジャパン・アズ・ナンバーワン」と称された戦後の一時期のような日本から有望な企業が次々と生まれる状況にはなりえない。こうした背景により、大志を抱いた若者が日本国外に出ていくことで生じる「ブレイン・ドレイン（頭脳流出）」は非常に深刻化している。


これは、かつての「英国病（60ページ参照）」で経済が衰退したころのイギリスと同じ現象である。

イギリスが衰退にあえいでいたこの時代、自国にとどまり活動したビートルズは特異な事例で（ビートルズ解散後、ジョン・レノンはニューヨークに移住したが）、多くの若者はイギリスから出ていった。母国の衰退にともない、チャレンジ精神旺盛な若い世代が国外へ飛び立っていくことは、歴史上何度も繰り返されてきた。

もし私が若くて有能なプログラマーだったら、アメリカのシリコンバレーや中国の深圳《しんせん》など、日本より給料が高い場所へ行くだろう。野球界でホームランを何本も打つスター選手が三振し続ける選手よりも年俸が高いのは当たり前だが、これは実業界の常識でもある。

このような世界の常識に、そろそろ気づかなければいけない。

ネックは税金と事業コストの高さ

日本を離れ、海外で働く人が増えているのは、日本に違和感を覚える人が増えていることの表れだろう。

近年、大変な状況に見舞われている香港に代わって、アジアのどこかに次の金融都市が生まれるはずだ。日本も「国際金融都市・東京」構想2・0を掲げているが、はたしてどうなるだろうか。日本の事業コストは高く、「言語の壁」もある。

一方でシンガポールは、これらの課題をクリアしている。

シンガポール人は英語に加えて、それほど流暢ではないが中国語も話す。だが日本では、中国語はもとより、学校教育である程度学ぶ英語もほぼ使われていない。私の見解としては、東京よりソウルのほうが国際金融都市の座に近い。

住む場所、働く場所は自由に選ぶことができる

スタートアップなどが国外へ進出するように、コロナ・パンデミック以降、「大都市一極集中型経済」から地方へ分散するかたちへ徐々にシフトする動きも見られる。東京などの大都市から地方都市へ本社を移転する企業も多い。

経営者の視点で考えれば、物価のより安いところに拠点を移すことはとても自然なことだ。アメリカでも類似した現象が起きている。

カリフォルニア州やニューヨーク州は税金も物価も高いので、より税金の安いテキサス州やフロリダ州に移住する人々が多く存在するという。

こうした時代の流れを受けて、日本で戦後数十年間続いてきた終身雇用や年功序列という価値観に、少しずつではあるが変化の兆しが見え始めた。新卒で就職した企業に会社員人生を捧げなければならない、というルールは存在しない。

今は住む国や職を自由に選ぶことができる時代だ。柔軟にキャリアチェンジすれば、当初とは違う道で成功する機会も増える。キャリアチェンジを通じて、それまで自分ではなかなか気づくことができなかった、隠れた特技や才能を発見することもあるはずだ。

時代の変化にともない、女性の働き方も世界では大きく変わり始めている。日本においても女性に対する扱いが次第に変わり始め、「女性活躍推進法」などの法律が施行されてきた。しかし海外と比較すれば、変化のスピードは遅い。

労働人口が減少し続けている日本において、女性労働者を増やすことは重要だ。産休・育休後に職場復帰を希望する女性が多いのはいいサインだが、女性の職場復帰を推進するだけでは、不十分だ。

アメリカで女性に対する扱いが変わり始めたのは、実に40年以上も前のことだ。長い時間をかけて現在のような環境がつくられたことを鑑みると、日本が追いつくにはまだまだ時間がかかるだろう。

今後も日本で働く人へ

とはいえ、国外で働く日本人はまだ少数であり、大半が国内で働き続ける道を選んでいる。「転勤」ですら大変な引っ越しだ。なじみのない海外に出ていくことはかなりハードルが高いだろう。

もしあなたが今後もこの国で働くことを考えているなら、「自分にとって一番向いている職業」が何であるかを真剣に考え、その仕事をすることだ。

終身雇用・長期雇用が一般的だった時代には企業が個人を守ってくれたが、日本が衰退を続ける以上、あなたの勤め先もいつまでも安泰ではない。

「転職」はたいていの場合、キャリアアップに有効だ。いい転職をするためには、まず、自分の好きなことを見つけることが大切だ。

そうしないとどうなるだろうか？　経済が悪化した時、あなた以上に仕事が好きで、なおかつ能力のある同僚に仕事を奪われ、あなたは会社をクビになってしまうかもしれない。

しかし、好きな仕事をすれば仕事に対する満足感と雇用の安定が手に入る。

皆さんのなかにも「オン」と「オフ」をはっきり分ける人がいるかもしれないが、双方の境目を意識しなくてもできる仕事こそ、あなたの適職だ。

10歳、40歳、65歳のためのアクションプラン

これからの時代、日本という国に頼らず、充実した人生を歩んでいくために、10歳、40歳、65歳の人々へ勧めるアクションプランは次のようなものだ。

もしあなたが10歳なら日本から出て、違う言語を学ぶことを勧めたい。あなたが40歳になるころには日本の人口は1億人を割り、日本という国にしがみついて生きていくことは困難になるだろう。

日本では、公務員を志望する若者が少なくないと聞くが、「若者は政府のために働いてはいけない」というのが私の持論だ。

未来のある若者は、勢いのある民間企業、あるいは世界に活躍の場を求めてほしい。そのためにも日本語以外の言語を積極的に学び、活躍の場を広げる努力をしたほうがいい。

すべての若い日本人は第二言語を習うべきだ。私のおすすめは、英語・中国語・スペイン語・韓国語だ。

今後はテクノロジーの発達により、外国語を学ばなくても海外の人々とコミュニケーションがとれるようになると主張する人もいるが、ＡＩは言葉の繊細な使いわけができないため、密度の高いコミュニケーションをとるためには、あなた自身が外国語を使いこなせるようになったほうがいい。

英語は今後も国際語として地位を保ち続けるだろうし、中国語は世界で約11億人が使っている言語だ。地球全体の総人口は約80億人だが、実にその14％が中国語を話すのだ。使用人口は英語をしのぐ第1位。習得できれば大きなチャンスをつかむことができるだろう。

私がシンガポールに移住した理由の一つは、娘に中国語を学ばせることだった。近い将来、中国の時代が到来することを考えると、中国語を話せることは武器になる。

また、もしスペイン語ができれば、同じラテン語から派生したイタリア語やポルトガル語も理解できるようになる。そうすれば、スペインやイタリア、ポルトガルはもちろんのこと、同一言語の中南米諸国でもビジネスチャンスを手にできる可能性は高まる。

一方で日本語は、今後の人口減少にともなって使う人がますます減っていくことになる。「日本語しか話せない」では、活躍する機会を失うことになりかねない。日本語しか話せない俳優と、日中両国の言葉を話す俳優では、訪れるチャンスの数が全く違うのと同じことで、日本語しか喋れない10歳の子どもは、英語を喋ることができる同じ歳の子どもよりも将来の見通しは暗い。

今もしあなたが40歳なら、自己防衛に努めるべきだ。

将来世代が過去のツケを払うころ——10年、20年先の日本では、今よりも多くの犯罪が発生するようになるだろう。

社会保障給付は削られ、次第に税金は高くなっていく。日本人の給与が、今よりさらに人口の減った社会で増えていることは想像しにくい。このような状況下で、国民は不満を覚え、社会への不安が募ることになる。30年、40年先の未来においては、反乱や暴動、あるいは革命が起きている可能性さえある。

あなたがもし65歳なら、残りの人生を終えるまでの間は日本政府がしっかり面倒を見てくれるだろう。しかし、決して政府のいいなりにはならず、あなたが好きなことをするべきだ。

有事に備える資産防衛術

この国に資産を置け

あなたの資産をどこに置いておくか、しっかりと考えることも大切だ。現時点で私がおすすめするのは、スイス・ルクセンブルク・シンガポールだ。

スイスは金融国として古い歴史を持ち、現代においても保険の分野で重要な立ち位置にある。

金融の柔軟性という点ではルクセンブルクも、小国ではあるが欧州内でロンドンやフランクフルトと並ぶ金融センターといわれている。

そしてシンガポールは、香港と双璧をなす金融独立国として歩んできた。香港は今後の情勢次第では資産を置きづらくなる可能性があるが、シンガポールはおすすめできる。

大変な状況を経験しないかぎり、リスク管理をそれほど真剣に考えないのは当然の心理だが、皆さんにはぜひとも歴史から教訓を得て、しっかりと備えてほしい。

たとえば1990年代、スイスが中央ヨーロッパ諸国に低金利で住宅ローンを貸し付けた。チェコなど中央ヨーロッパの人々は喜び、スイスフランで住宅ローンを組んだが、その後スイスフランの急騰により自国の通貨が暴落。多くの人々が破産の憂き目にあい、住宅を差し押さえられてしまった。彼らは金利や為替が急変することを理解していなかったのだ。

米国株投資は最善の手とは限らない

国に頼れない時代、自分の資産をどう運用し、どう増やしていくか。正しい知識を身につけることも非常に大切だ。

あらゆる資産にはブル相場が存在し、急激に値上がりすることもある。しかし、永遠に値上がりし続けるものは存在しない。あなたが20代で、投資を今からスタートさせたとしても、定年を迎えるまで価値が上昇し続ける商品はない。だからこそ、投資をするにはその都度、「今、投資すべきか否か」を慎重に判断しなければいけない。

投資には柔軟な発想力が必要だ。

私たちは今、激変の時代を生きている。かつて正しいと思われていたことでも、評価が一変することがあるだろう。

最近日本には「米国株投資」ブームが訪れ、将来に備えて米国株式投資を始める人が増えていると聞く。過去30年間の株価の推移を見て「ベア相場が時々あるが、基本的には上がり続けている」と思うかもしれない。

しかし、この考えは「金利」という重要な点を見落としている。金利は、1980年以降ほぼ下がり続けているため追い風になっているように見えるが、このような状況は永遠に続くことはない。

私自身も数十年前から米国株を保有しているが、皆さんには「これまで長期間上がり続けてきたのだから、今後も上がり続けるに違いない」などと、短絡的な発想に陥らないようにくれぐれも注意してほしい。

危機の時代の投資戦略

不動産投資はおすすめできない

現在、東京都内のマンションは過去最高価格をつけている。不動産はバブルになっているると思われるが、人口が減少している国で不動産を購入してもいいのだろうか。

私の答えは「ノー」だ。その理由は主に次の2つである。

1つ目は、いずれ金利は上がる、ということだ。これはすべての国にいえることなのだが、金利が上昇すれば不動産価格は下がる可能性が出てくる。今が高値だからといって、決して安心することはできないのだ。

金利が上がれば、住宅ローンの毎月の返済額が上がる。

アメリカは2008年にサブプライムローン危機に見舞われた。当時のことを記憶にとどめている人は多いだろう。一方で、日本の不動産バブルの崩壊は今から約30年前の1990年代に起こったため、バブル崩壊がどのようなものかを経験したことがない人も多い。給与が上がらない日本で、高金利の住宅ローンを組んで支払うことができるのだろうか。私には難しいように思う。

もう1つは、人口減少によって「空き家」が増え、不動産価格が下落する可能性がある、ということだ。

人口が増えている時期には考えられないことだが、人口が減少すれば住宅もオフィスも余り、「空き家対策」という課題が生まれてくる。人口が増加している都市や、新しい産業が生まれているエリアの不動産価格は今すぐには下がらないかもしれないが、日本ではほとんどの都市が当てはまらない。

ただ今後、日本が移民の受け入れを積極的に行う場合、渋谷や新宿、六本木など外国人が投資するエリアに限定すれば投資価値はあるかもしれない。これは政府の方針次第だ。

その前に金利は上昇するだろうし、人口減少も続くので、やはり積極的にはおすすめできない。

私はここに投資する

では、一体何に投資すべきだろうか？　私は今、銅や鉛を保有している。今後、従来のガソリン車から電気自動車への転換が起きれば、電気自動車の生産のために銀などさまざまな貴金属が必要になってくる。

私はアクティブ投資よりインデックス投資のほうが効果的だと考えるので、あなたがもし関心があれば、貴金属のインデックスＥＴＦ（上場投資信託）を勧める。

電気自動車で世界一のシェアを誇るTeslaについて、「同社の財政状況はよくない」と主張する人がいる。いいか悪いかは別として、成功者は世間から叩かれるものなので、彼らの評価を鵜呑みにすべきではないと私は考える。

円安傾向のさなかでも上昇の余地がある資産か、価値を失わない資産を持つべきだ。貴金属や株式などいろいろな選択肢がある。

アメリカの著作家、マーク・トウェインは、投資にも通じる次のような格言を残している。「金鉱の定義は、穴とその付近に嘘つきがいることだ」

おそらく、彼は金鉱を狙ったが痛い目にあったのだろう。世界中に金鉱は多数存在する。正しいものを選べば大金持ちになれるが、大半はそうではない。もしあなたが熟練した投資家でない場合は、ETFを勧める。

投資において大切なことは「自分で考える」ことであり、「価値があると思う」ではなく、「価値があることを知っている」と言い切れるまで徹底的にリサーチすることだ。よく知らないものに投資するほど危険なことはない。

ちなみに、私は日本ではETFだけに注視している。日銀がETFを買っており、日銀は私より遥かに「資産家」なので、日銀が買えば私も便乗して買う。日銀が航空銘柄を買えば、私も買う。

このように、あまり日本株投資に積極的ではない私だが、何十年も前から米国株と中国株の両方を持っている。中国は次の覇権国になる可能性が高いとはいえ、米国株をすべて売却して中国株だけを保有するのは時期尚早だ。現時点では双方とも魅力があると思う。

コロナ禍により一時ストップしていた交通・観光・旅行に関する株は、コロナ禍の終息にともなって需要が一気に高まることが想定されるので、非常に興味がある。中国の交通セクター、とくに航空銘柄や観光銘柄にはチャンスがある。

最近、中国のテクノロジー株や不動産株は大きく下がっているが、私は中国のテクノロジー株についてあまり詳しくないので買わない。前述したように、その価値を完璧に理解していないかぎりは買わない。

第5章

日本が「捨てられない国」になるロードマップ

円安傾向は日本再興の起爆剤になりうる

円安で株価が上がる理由

本書では、「世界中から見捨てられ始めている国・日本」について、この国が抱える諸問題と、そうした状況下で暮らす個々人が、将来に備えるためのプランをどのように立てるべきか論じてきた。最終章では、この国が「捨てられない」ためにとるべき方策について述べたい。

ここまで述べてきたように、今の日本にはいろいろな課題が山積しているが、「危機」は同時に「チャンス」でもある。近年到来している円安傾向もまた、チャンスと見ることができる。

これは30年間誰も予想してこなかったことだが、今後3年以内に日経平均株価は史上最高値の4万円に到達する可能性がある。もし日銀が金融緩和策の全面的な見直しを行わず、今後も紙幣を刷り続け、さらに円安傾向が続けば、日経平均株価は上昇する可能性が高い。このようにいうと意外に感じるかもしれないが、「円安が続いているからこそ日経平均株価が過去最高に到達する」のだ。

外国人は、円安で安くなった日本株を買うことができるし、輸出などで一部の日本企業は円安の恩恵を受けて儲かるはずだ。儲かる「はず」といった理由は、輸出する製品をつくるためにたいていの場合は原材料を輸入する必要があり、輸入は割高になるからである。

たとえばウール素材のジャケットをつくる企業は、ウールをオーストラリアなどから輸入する必要がある。そのウール素材はインフレと円安で高価になってしまう。

しかし、すべての原材料を日本国内で賄える商品は、競争力が増して儲かるだろう。うまくいけば値段を上げることもできるかもしれない。

同時に円安が続けば、国民は徐々に現金預金から、もっとバリューのある貴金属や株式、不動産などといった資産に手を出すだろう。歴史を振り返れば、国の通貨が安くなっている時にはその国の株式市場が上昇しやすい。ジリジリと資産が日減りするよりは実物資産を購入したいという意欲が強まるからだ。これは日本にとって、大きなチャンスである。

ワイマール共和国のハイパーインフレの教訓

今の日本の状況は、１９２０年代のドイツ（ワイマール共和国）の状況とも重なる。

当時ドイツは、第一次世界大戦の敗戦国となり、戦費の債務に加え戦勝国から多額の賠償金を課せられていた。そこで中央銀行がとった方策は、日銀と同様に大量の紙幣を印刷することだった。その結果、通貨、マルクはあまりにも弱くなり、1921年、1兆倍ともいわれるハイパーインフレが起こった。国民がたくさんの札束を持って買い物へ行ったことから、この年のことを「手押し車の年」と呼ぶ。このハイパーインフレは、第一次世界大戦の戦費の多くを国債で賄ったことがそもそもの発端と言われるが、どれほど状況が悪化していたか想像できるだろう。多数の失業者や破産する人が生まれた。

しかし、このような状況をチャンスに変えて、ドイツの株式市場で巨額の富を得た人も存在した。現金だけを保有することにリスクを感じたドイツ国民が、焦って株式市場に投資したのである。彼らは貴金属を購入するなどの代替金融投資を行うことで、ハイパーインフレを回避した。これから日本でも、1920年のドイツと似たような現象が起こるかもしれない。

このような例が示すように、負債のおかげでチャンスを手にできる人も一部存在する。ただし、負債をしっかり管理できなければ国家は破綻してしまう。これは個人も同様で、船や不動産などの負債をうまく管理して大金持ちになった人もいるが、他方で、破綻してしまった人も数知れない。うまく管理できるか否かが明暗を分けるのだ。

日本発・ビジネスの勝ち筋

アジア発エンターテインメントの中心地はいまや韓国だ

危機的状況をチャンスに変えるために、日本企業にとって肝心なことは質とイノベーションだ。

今はもう高度経済成長の時代ではなく、2023年だ。

日本はロボットや農業機械の生産を得意としてきたが、ベトナム・中国・韓国・インドなども農業機械の生産を行っており、日本製品と同等あるいはそれ以上の成功を収めるかもしれない。こうした国々との熾烈な価格競争に、日本が勝てるとは限らない。

また、日本は得意分野であるゲームやアニメなどのコンテンツビジネスで成功してきたが、近年は韓国のK-popや映画、ドラマといったコンテンツの人気が高く、日本は後れをとっている。

韓国がアジアのエンターテインメントの中心になることを、20年前に誰が予測しただろうか。韓国は、国を挙げたエンターテインメントの育成と海外進出への取り組みで、今日の地位を築き上げた。私もK-popのプラットフォームを運営する韓国のスタートアップに投資している。

コンテンツビジネスで、日本はどう勝つか

コンテンツビジネスでは、言語の要素もとても重要だ。日本のコンテンツは日本語にしか対応していないものが多い。しかし韓国ドラマやK-popは英語にも対応しているので外国人が楽しめ、世界的なブームを巻き起こした。

韓国は国内マーケットが小さいため、最初から世界を意識していたのである。アーティストたちはアメリカのショービジネスで勝負するため積極的に英語を学び、インタビューやスピーチまでこなしている。

はたして日本のアーティストたちはそこまでの準備をしているだろうか。日本は韓国より人口が多く市場も大きいため、ビジネスを国内だけで完結しようと思えばできてしまう。

この業界にとどまらず、日本企業はまず国内市場で売ることを意識するあまり、多くの商品やサービスが「ガラパゴス化」した。日本のコンテンツビジネスも、同

じ道をたどってはいないだろうか。

日本語以外の言語に対応していないコンテンツを今後も出し続ければ、さらに後れをとってしまうのは明らかだ。

超高齢化は商機になる

これから超高齢化時代を迎える日本において、社会を生き抜くための技術革新や、サービスの分野でイノベーションが起これば勝算は大きい。国内だけでなく、同様に高齢化に悩まされる諸外国へ、そうした技術やサービスを売り込むことができる。発明とは「必要性」から生まれるものである。日本にも、画期的発明が生まれることを願う。

きたる超高齢化時代にビジネスチャンスを感じ、チャレンジしている日本企業があればぜひとも知りたい。その企業は非常にいい投資先になるからだ。

日本人と生産性

「日本企業は生産性が高い」という人もいる。たしかに昔はそうだった。しかし、天下を取った企業の後継者は、怠けてしまう傾向があるものだ。実際、日本企業の生産性は徐々に下がってきていると私の目には映る。怠けてはいないかもしれないが、先代ほどの成功意欲はないようだ。

私が初めてバイクで世界一周し、日本に立ち寄ったのは1990年ごろのことだ。当時、日本は最も豊かな国の一つであり、東京はとてもエキサイティングで活気のある都会だった。当時のガールフレンドのタバサと旅を終えた後、「日本に移住しようか」と思うほど強く惹きつけられたが、気になる点もあった。

それは、日本の子どもたちが彼らの親世代のように一生懸命働いていなかったことだ。蟻のように働く日本の労働者の次世代は、親世代のような犠牲を払うつもりがないように見受けられた。

それから30年あまりが経ち、日本を「奇跡の復興」へと導いた戦後第一世代から第二世代へ、そして今の労働者は第三世代、第四世代に交代している。残念ながら、私が1990年ごろに予見した通りのことが起きているとしか思えない。

これはあくまで私の感覚にすぎない。日本社会の生産性低下を、統計などの数字で証明することは非常に難しい。もちろん日本という国はすばらしく、私がこれまで出会ってきた日本人はとても優秀だが、残念ながら国民全体の労働意欲や向上心は低下しているように思われる。

同様の状況はアメリカにも存在する。そしてこれは繁栄していたころのイギリスでも起きた現象である。

日本に大チャンスが到来する産業①「観光業」

観光業はこれからが勝負時

日本経済の悲観的な現状と先行きについていろいろと述べてきたが、私の大好きなこの国の希望が完全に消えたわけではない。成功する可能性を秘めた産業（分野）は大きく3つあると考えている。

まずは観光業だ。円安が長引いたため、日本への旅行者は激増するはずである。

2022年、物価を考慮した実質的な円の価値としては、50年来の安値水準になったという。50年前といえば高度成長期のころだ。円の価値はそのころの水準まで落ち込んだのである。今の銀座は、ニューヨークのタイムズスクエアより遥かに安価に買い物できるかもしれない。

以前、日本は海外からの観光客にとって高額な交通費などがネックだったが、円安により足を運びやすくなった。外貨から両替するとより多くの円を獲得することができるからだ。

かつて「爆買い」で日本経済を沸かせた中国人も、コロナ禍で数年にわたり旅行を我慢し続けた。日本へ旅行したくてたまらないはずだ。

なぜ日本は、観光地として世界に知られていないのか

観光地としての日本のすばらしさに、世界はまだそれほど気づいていない。

その理由は2つある。1つ目は、海外の人々にとって、円高時代には日本への旅行は困難だったため、多くの外国人は日本を訪れたことがない。

私は家族と一緒に北海道のニセコでスキーをするのが大好きだが、ニセコがどれほどすばらしい場所であるかを知っている外国人は多数派ではないだろう。そもそも、日本で雪が降ることすら知らない人が多いかもしれない。私も20年前には、「スキーに行くとしたらどこがいいか？」と聞かれても「日本」とは答えなかっただろうから、彼らの気持ちはよくわかる。２０２２年に開催された北京での冬季オリンピックの影響もあり、「アジアの雪国といえば中国だ」という人もいるかもしれない。

外国人と接する経験値を高めよ

もう１つの理由は、日本人がその魅力を世界に向けて十分に発信できていないことだ。

日本は閉鎖的な国で、外国人に対してよい感情を持たない人が多い傾向にある。

私は、日本政府や日本人が、外国人に対して差別的な行動をとることにしばしば戸惑うことがあった。今から数年前のことだが、アジアのある国に駐在する日本人について聞いたことがある。彼らは常に日本食を食べ、日本人だけでグループをつくり、現地の文化とは決して交わろうとしなかった。

外国人を積極的に受け入れようとしない日本の国民性が、こうした出来事を生む土壌を作っていると思う。

もしかすると、数百年間続いた「鎖国」の影響もあるかもしれない。島国である日本は江戸時代に国を閉ざしていた。このような歴史的経緯があるためか、この国は長きにわたり同質性の高い国民により同一言語が当然のものとされ、移民を積極的に受け入れるだけの土壌が乏しかった。

実際、過去に日本と同様に鎖国を行っていた韓国も、外国人に対して警戒心が強い。

今は昔よりも状況が変化しているように感じるが、やはり日本は、外国人と接した経験が少ないのは否めない。イタリアやスイスなど観光業を主力とする国と比べると、日本は積極的に外国人を受け入れてはいない。

観光立国になるために必要な「意識改革」

とはいえ、外国人と接した経験が少ないことは、必ずしも「問題」というわけではない。何百年も鎖国していた分、スタートが遅れただけだ。

私は世界を旅するなかでさまざまな経験をしてきたので、日本人の考え方をよく理解しているつもりだ。人々の意識を変える唯一の方法は、経験を積み重ねることだ。

そして経験値を増やすためには、外国人に日本へどんどん来てもらう必要がある。外国人観光客から恩恵を受ける観光業やサービス業に携わる日本人は、次第に「外国人観光客もそれほど悪くない」と考えるようになるだろう。これは人類普遍の本質といえる。あまりよく知らない人々や物事に対して警戒心を抱くのは、当たり前の話だ。

えてして政治家は、国民のこういったアンチ外国人感情をあおるのが得意だ。「外国人の肌の色、言語、宗教、食べ物は私たちと異なるので気をつけるべきだ」と言い、政治家は自分がメリットを得るために、アンチ外国人の感情を掻き立てるのだ。

私が知っているアンチ外国人にならない唯一の方法は、外国人と交流することだ。彼らと一緒にビールを飲んで踊れば、それほど悪い人たちではないと気づくだろう。これは学校やテレビでは教わらない大切なことだ。

このことは、私が世界旅行中に実感していたことでもある。旅の途中で、現地の人に「どこから来たのか?」と聞かれ、以前滞在していた国を答えると、「彼らはとても野蛮で危険だ」と警戒していた。そして次に行く国を告げると、「そんなところに行ったら生きて帰れる保証はない」とよく言われたものだ。

しかし彼らは、その国の食べ物や飲み物を口にしたことがなく、その国に住む人たちとビールを飲んで踊ったこともない。ただ単に、それらの国について知らないだけなのだ。

世界に向けて日本の魅力を発信せよ

一度でも日本を訪れた外国人は、「観光地・日本」の魅力に気づくだろう。まだ日本に行ったことがない人たちに、私は日本へ旅行することを勧めている。

日本では２０１６年に「訪日外国人旅行者数４０００万人（２０２０年度）」を目標に掲げ、政府、自治体、民間総出で注力した結果、２０１９年の外国人旅行者数は３１８８万人にまで増加したという。この取り組みにより、日本各地の観光地は大いに潤った。

しかし世界的なコロナ禍により、２０２０年の外国人旅行者数は４１２万人と、目標の10分の１にまで激減してしまう。「もしコロナ禍がなかったら」などと嘆いたところで仕方がない。

今は一時期よりもコロナ禍が収まった。

外国人が日本の観光地に興味を持てば、日本人の外国人に対する歓迎ムードも高まるだろう。

日本の代表的な観光地の一つに、京都がある。はたして京都は外国人向けの観光産業を自ら育て、外国人を積極的に受け入れようと努力してきただろうか？　おそらく答えはノーだ。京都に興味を持つ外国人が自ら出向いたのであろう。

当初、日本を訪れる外国人に対して怪訝に感じる日本人も多かったはずだが、その外国人が観光地などで多くのお金を使うことで、彼らを少しずつ歓迎するようになったのではないだろうか。

これは京都以外の観光地にも当てはまる話だ。外国人向けの観光業を日本が育成した結果として訪日外国人が増えるのではなく、宣伝によって外国人が日本の魅力に気づき、訪れる機会が増えることで観光産業が発展していくのだ。

私は、日本は人気の観光地になるべきだと強く思うし、それを達成できると思う。

ただ、単に近年の円安傾向による観光客増加を狙うのではなく、日本人のマインド自体が変わる必要がある。これにはもうしばらく時間が必要かもしれない。

日本が観光大国になることを目指すためには、さまざまな障壁を取り除けるかが問われている。これから「観光」が日本経済の柱の一つに育つかどうか、注目したいところだ。

観光が盛んになることで、必然的に飲食業などのサービス業も活況を呈するだろう。サービス業はコロナ禍の大きな影響を受けたが、外国人観光客がこれから徐々に戻ってくればチャンスが到来するだろう。

日本に大チャンスが到来する産業②「農業」

日本の若者に農業を勧めたいこれだけの理由

農業も日本にとって可能性のある産業だ。

ウクライナ侵攻などの有事によって農業に従事する人が減れば、自然と食料生産高も減る。そしてその結果、需要と供給に不均衡が生じて食料価格は上昇する。このタイミングで日本の農作物を海外に輸出すれば、商機はある。

しかし、日本の農業にはいろいろな課題がある。一つは「担い手」の減少である。ただでさえ担い手が少ない中、就労者の高齢化も進んでいる。

「専業農家」ではなく、「農業をやりながら、他の仕事もする」人は多い。学校を卒業した後、東京や大阪に移り住んで別の職業につく農家の子どももいるようだ。日本の農業はアメリカのように大規模ではないが、重労働が求められる。そのため、「専業農家」として生活することは難しいのである。すでに一部の地域では農業従事者がいなくなり、耕作放棄地も増えているという。

このような状況のなか、若い世代は農家を継ぎたがらないため、これまでのように血縁による後継者だけに頼ると担い手がいなくなり、日本の農業は衰退する。ただでさえ低い食料自給率がさらに低下することになるだろう。

しかし私は、こうした苦しい状況にこそ大きなチャンスがあると思う。日本の若い世代の人々には、ぜひ農業をやることを勧めたい。

人気が低い業界には、それほど激しい競争がない。つまり、賢くビジネスをすれば成功できるということだ。

日本の農業従事者の平均年齢は60代後半だ。農地も安価になっているし、よい担い手さえ見つかれば日本の農業には明るい未来が待っているだろう。

ライバルが少ない今のうちに農業を始めれば、食料を生産できるだけでなく、大きな成功が期待でき、将来も安泰だ。あなたの後に続いて「農業がしたい」という人も現れるだろう。

実際、日本のイチゴやリンゴが世界中の高級スーパーで売られている。空路のコストを加えると値段は高くなる。しかし、それでも売れているのだ。日本の農家が生み出すものには、それだけの国際競争力があるといえるだろう。

移民の受け入れなど規制緩和が不可欠

移民の受け入れも、農業の担い手を増やすのに有効だ。

今は、昔のように肉体労働をやりながら育つ子どもは少ないので、太陽の下で働くことは大変かもしれない。

しかし今後、日本が国を開けば、多くの外国人が日本に移住し、農地を買ってそこで働くようになるはずだ。低賃金で働いてくれる外国人の力を借りれば、農業は大きな成長産業となるだろう。

これまで、日本の農家は外国人を単なる安価な労働者としか見ておらず、また外国人労働者も日本を短期の職場としか見ていないため、日本に永住して長く農業に取り組もうという外国人はいなかった。また、そうした外国人を受け入れるシステムも十分に整備されていない。

今は、国内に農地はあってもそれを耕す人が乏しい。日本人の担い手を増やすことが難しいなら、海外から人を雇えばいい。

また、保護主義をやめて規制緩和を推進することも必要だ。日本政府が自国の農業従事者を守ろうとするのは、あまりよくないことだと私は思う。

たとえば、米の関税率は最近大幅に下がったが、それでも280%と、価格の約

3倍の税金がかかる。このような状況でも政府が競争力に乏しい日本米を保護しているのは、商機を自らの手で逃しているようなものだ。政治家は農家からの票が欲しいのかもしれないが、米などの農作物は低賃金労働を取り入れて価格を下げないかぎり、他の国との市場競争に勝つことは難しい。

農業で収益を上げるためには、さまざまな課題を解決しなければならない。規模の拡大も必要になってくるだろうし、現在のような労働集約型の非効率な働き方から抜け出す必要もある。

現在、工場などの生産現場ではロボットの導入が盛んに行われているが、農業においても、このような最新テクノロジーが開発、導入されなければならない。

日本では人口が減少し高齢化も進んでいるため、長期的には農作物の需要は減るだろう。しかし、それらに先行して深刻化するのは、担い手の不足による供給量の減少ではないだろうか。

これは農業に限った話ではなく、漁業も高齢化によって従事者が極端に減少している。これから10年後、20年後には一体誰が、米や野菜、果物をつくり、牛を飼い、魚を獲っているのだろうか。日本が取り組むべき喫緊の課題はいくつもある。

日本に大チャンスが到来する産業③「教育」

まず、外国人留学生を増やせ

教育分野にも伸びしろはあるだろう。

教育は、観光業や農業とは違い、厳密には「産業」ではないが、日本にやってくる外国人を増やし、優れた才能を引き込み、若い労働力を手に入れるための手段として大いに貢献してくれるはずだ。

日本政府も日本人も、「移民を受け入れる」ことに対してこれまでは消極的だったが、「日本で学ぶ外国人を受け入れる」ことについてはとくに異論がないようだ。留学先として日本の大学を選ぶ外国人は多数いる。なぜなら、韓国、中国などアジア圏の国々には、日本のようにたくさんの大学が存在しないからだ。

韓国や中国の子どもたちから聞いた話では、彼らの国では人口に対して大学の数が非常に少なく、必然的に大学受験の倍率がとても高くなるので、大学に入学したくてもできないのだそうだ。私は、彼らに日本の大学への留学を勧めている。

受験倍率の高い国公立大学や私立大学をはじめ、生徒が足りず廃校寸前の状態に追い込まれている大学も、「優秀な学生に集まってほしい」という思いは同じはずだ。まさに、留学生の受け入れは優秀な学生を集める絶好の機会といえる。実際、すでに外国人留学生を積極的に受け入れる大学も増えてきており、学生寮なども盛んにつくられている。

こうして日本の学校で学んだ人のなかには、「日本の会社に就職しよう」と考えたり、または「農業などの専門分野で働いてみよう」と考えたりする人も存在するはずだ。

「移民の受け入れ」が困難であれば、まずは「日本で学ぶ外国人を増やす」ことから始めてみてはどうだろうか。

日本で学ぶ外国人学生と接するなかで、日本人の「移民アレルギー」もだんだんと変わっていくだろう。

日本よ、「捨てられない国」になれ

私が考える、将来の日本で有望な産業は以上の3つだ。

近年の円安傾向はメリットにもなり、これらの産業の追い風になるだろう。

通貨価値の低下は長期的には好ましいことではないが、一方で、円安傾向は日本再興の起爆剤になる可能性も秘めている。この状況を嘆くのではなくチャンスと捉え、私の大好きな日本が世界から「捨てられる日本」にならないよう、歯止めをかけてほしいと切に願う。

参考文献

『世界大異変——現実を直視し、どう行動するか』
(東洋経済新報社)

『大転換の時代 世界的投資家が予言』
(プレジデント社)

『危機の時代 伝説の投資家が語る経済とマネーの未来』
(日経BP)

『ジム・ロジャーズ 大予測』
(東洋経済新報社)

『日本への警告 米中朝鮮半島の激変から人とお金の動きを見抜く』
(講談社プラスアルファ新書)

『冒険投資家ジム・ロジャーズ 世界大発見』
(日経ビジネス人文庫)

『冒険投資家ジム・ロジャーズ 世界バイク紀行』
(日経ビジネス人文庫)

著者略歴

ジム・ロジャーズ (Jim Rogers)

1942年、米国アラバマ州生まれ。イェール大学で歴史学、オックスフォード大学で哲学を修めた後、ウォール街で働く。ジョージ・ソロスとクォンタム・ファンドを設立し、10年間で4200%という驚異的なリターンを上げる。37歳で引退した後、コロンビア大学で金融論を指導する傍ら、テレビやラジオのコメンテーターとして活躍。2007年よりシンガポール在住。ウォーレン・バフェット、ジョージ・ソロスと並び世界3大投資家と称される。主な著書に『冒険投資家ジム・ロジャーズ 世界大発見』(日経ビジネス人文庫)、『危機の時代』(日経BP)、『ジム・ロジャーズ 大予測』(東洋経済新報社)、『大転換の時代』(プレジデント社)がある。

監修・翻訳者略歴

花輪陽子 (はなわ・ようこ)

1級ファイナンシャル・プランニング技能士（国家資格）、CFP®認定者。外資系投資銀行を経てFPとして独立。2015年から生活の拠点をシンガポールに移し、東京とシンガポールでセミナー講師など幅広い活動を行う。『少子高齢化でも老後不安ゼロ シンガポールで見た日本の未来理想図』（講談社プラスアルファ新書）、『夫婦で貯める1億円！』（ダイヤモンド社）、『ジム・ロジャーズ 大予測』（東洋経済新報社）、『大転換の時代』（プレジデント社）など著書・訳書多数。海外に住んでいる日本人のお金に関する悩みを解消するサイトも運営。まぐまぐ！「花輪陽子のシンガポール富裕層の教え　海外投資&起業実践編」も執筆中。

アレックス・南レッドヘッド (あれっくす・みなみれっどへっど)

シンガポールのマルチ・ファミリー・オフィス、モンラッシェ・キャピタル（Montrachet Capital）にてアジアの富裕層向けに幅広い資産運用アドバイス、海外移住サポート全般を行っている。CFP®認定者。モンラッシェ・キャピタル入社前はリーマン・ブラザーズに加え、野村證券やクレディ・スイス証券にて債券市場のスペシャリストとして従事。東京とニューヨークで世界中の大手金融機関に国債、モーゲージ商品、社債、債券デリバティブなどを販売。ボストンのタフツ（Tufts）大学にて心理学と数学を専攻。訳書に『ジム・ロジャーズ 大予測』（東洋経済新報社）、『大転換の時代』（プレジデント社）がある。

SB新書　606

捨《す》てられる日本《にほん》

世界《せかい》3大投資家《だいとうしか》が見通《みとお》す戦慄《せんりつ》の未来《みらい》

2023年 2月15日　初版第1刷発行
2023年 3月19日　初版第4刷発行

著　者　ジム・ロジャーズ

監修・翻訳　花輪陽子《はなわようこ》／アレックス・南《みなみ》レッドヘッド

発行者　小川 淳

発行所　SBクリエイティブ株式会社
〒106-0032　東京都港区六本木2-4-5
電話：03-5549-1201（営業部）

装　丁　杉山健太郎

本文デザイン
D　T　P　株式会社ローヤル企画

編集協力　桑原晃弥

印刷・製本　大日本印刷株式会社

本書をお読みになったご意見・ご感想を下記URL、
または左記QRコードよりお寄せください。

https://isbn2.sbcr.jp/15109/

落丁本、乱丁本は小社営業部にてお取り替えいたします。定価はカバーに記載されております。本書の内容に関するご質問等は、小社学芸書籍編集部まで必ず書面にてご連絡いただきますようお願いいたします。

ISBN 978-4-8156-1510-9